El libro de las bodas

Esmeralda Blanco

El libro de las bodas

Protocolo y organización de las ceremonias matrimoniales

Alianza Editorial

Ilustraciones: Mónica Armiño

Calle Juan Ignacio Luca de Tena, 15;
28027 Madrid; teléfono: 91 393 88 88
ISBN: 978-84-206-8489-5
Depósito legal: M. 18.336-2010
Impresión: Fernández Ciudad, S. L.
Printed in Spain

SI QUIERE RECIBIR INFORMACIÓN PERIÓDICA SOBRE LAS NOVEDADES DE ALIANZA EDITORIAL, ENVÍE UN CORREO ELECTRÓNICO A LA DIRECCIÓN:
alianzaeditorial@anaya.es

A mis hombres, Alberto y César Presas.
A mi madre, que me enseñó
todos los trucos de la figura y elegancia.
A mis alumnas y alumnos,
con los que he aprendido tanto
como en los libros.

ÍNDICE

Segunda Parte

Prólogo

La vida conyugal es una barca que lleva dos personas por un mar tormentoso; si uno de los dos hace un movimiento brusco, la barca se hunde.

TOLSTOI

El matrimonio es la unión entre un hombre y una mujer reconocida por la costumbre o por la ley.

La vida está llena de pequeños momentos que son los que le confieren alegría, dicha y felicidad. *La boda* es uno de ellos, acto de decisiva importancia en el que dos seres humanos que se aman, eligen y ponen en práctica para poder formar una familia, compartir sus vidas y tener descendencia; supone sustituir un sistema de vida en el que el centro es cada uno de ellos, por otro en el que el núcleo es la familia. Una familia que da y recibe. Por todo lo que ello representa, debiera envolverse en solemnidad.

Con este manual no pretendo crear una gran obra en torno a los enlaces matrimoniales, sino simplemente plasmar de forma ordenada y útil los pasos que deben configurar el acto matrimonial, y la parafernalia del evento.

Espero y deseo que este desarrollo resulte de utilidad para

todas las personas que lo lean, ya sean particulares o profesionales, constituyendo una buena guía práctica.

Aunque el contenido de la misma pudiese parecer excesivamente protocolario en algún punto, y eso incitase a entender que en estas líneas sólo se regulan las ceremonias de personas con títulos nobiliarios o de un nivel económico muy elevado, quisiera que el manual fuese útil para todo el mundo y para todo tipo de ceremonias, y que cada persona que lo lea pueda amoldar su contenido a sus circunstancias personales y a sus condiciones económicas, ya que una boda es siempre importante, independientemente de los lujos que rodeen la ceremonia. En síntesis, mi mayor satisfacción sería que el contenido de las páginas que a continuación redacto sean útiles para todos los lectores, no sólo consiguiendo que a los futuros esposos no se les escape ningún detalle relativo a su próximo enlace, sino dándoles también la tranquilidad que otorga el conocimiento previo de cada uno de los pormenores que deberán solventar.

¡Que sean muy felices!

PRIMERA PARTE

I

Petición de mano

Significado actual

Normalmente los padres de los futuros cónyuges se conocen y se avienen a celebrar conjuntamente la decisión que sus hijos han tomado. En cualquier caso, si se desea señalar la fecha de la boda como la de un acontecimiento inolvidable, la organización es siempre compleja.

La petición de mano ha vuelto a adquirir últimamente el carácter solemne que había perdido, desterrando los antiguos pactos sociales en los que los padres negociaban la boda, ajustándose a las pautas de modernidad y a la libertad de elección de los futuros esposos.

Fórmulas

Las siguientes modalidades de petición de mano están comprendidas dentro de la estricta formalidad:

a) Que los padres del novio se dirijan *por escrito* a los padres de la novia, manifestando su satisfacción por la elección y compromiso de su hijo, así como el deseo de reunirse antes de la ceremonia. La fórmula más conservadora indica que ha de ser la madre del novio quien, en nombre suyo y el de su marido, envíe el escrito. Esto no ha de entenderse con connotación «machista» sino como una simple tradición o «ruptura del hielo» iniciada por la familia del novio. No hay que olvidar que la satisfacción es mutua.

b) Que los padres del novio concierten la cita a través de su hijo. Esta opción es, lógicamente, menos formal que la anterior.

Cabe también una opción más práctica: *hacerlo por teléfono*. Sin embargo, este último estilo rompe totalmente ese aspecto ceremonioso y solemne que deseamos dar a esta fecha inolvidable.

Invitación de los padres de la novia a los del novio

Llegado el día de la petición y dada la maravillosa oferta floral de la que se puede disfrutar todo el año, *el novio*, galantemente, enviará, a una hora temprana al domicilio de su novia, un precioso *ramo de flores* (a poder ser blancas) y otro más discreto a su futura suegra. El detalle culminará con algo similar para su madre.

Los padres del novio, junto con éste (y los abuelos y familia más allegada, si se desea), *serán invitados* a un cóctel, almuerzo o cena por *los padres de la novia.* El lugar ideal será su propia casa, pero también es perfectamente admisible que éstos inviten a un restaurante.

Es el momento de *intercambiar los regalos de pedida* o compromiso y la novia *fijará la fecha de la boda* con el consentimiento de ambas familias. Por descontado que ese día, sobre todo la novia pero también las futuras consuegras, estarán muy arregladas. Los caballeros, de traje y corbata.

En relación con los regalos de compromiso sólo señalaré que no hay ninguna imposición al respecto. Únicamente, y la tradición depende de cada zona, se habla del diamante y su colocación en la parte izquierda del cuerpo de la novia como portador de propiedades magnéticas benéficas; o también, rememorando el decreto del papa Nicolás I, por el cual el anillo de pedida era una declaración oficial del compromiso de casarse y cuya ruptura suponía una grave sanción. De ahí el simbolismo del mismo. Puedo decirles que estos regalos están vinculados a las modas vigentes según los sitios, los gustos o las necesidades de los futuros contrayentes.

De hacerse en casa la petición, ello obliga a prestar suma atención al aspecto general y en especial a la higiene de los cuartos de baño, pues de seguro son un sitio al que habrá que acudir.

Colocación de los novios, ese día, en la mesa

Si los padres de la novia deciden celebrar un almuerzo o cena formal, los comensales serán acomodados en torno a

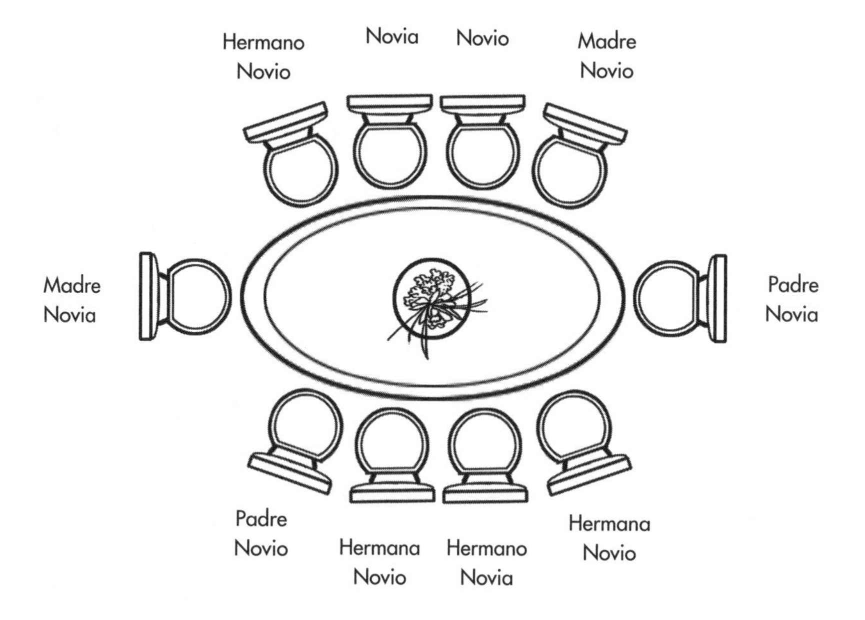

FIGURA 1. *Familia del novio compuesta por padres, hermano y dos hermanas solteros, y de la novia por sus padres y un hermano soltero.*

la mesa de forma protocolaria, pero siempre manteniendo juntos a los novios. Los anfitriones (padre y madre de la novia) ocuparán las presidencias y tendrán a la derecha, respectivamente, a sus consuegros del sexo contrario (Figura 1).

La circunstancia es propicia para nombrar al *maestro de ceremonias* (que debería ser el padrino) y a sus ayudantes, si fuese necesario.

La figura del padrino es la conversión actual del antiguo amigo y cómplice del novio para raptar y cuidar a una mujer de la tribu vecina, cuando el género femenino escaseaba en su propio poblado.

El período de compromiso para ser efectivo no debería exceder a medio año. Durante este período las invitaciones a actos sociales deben incluir a ambos novios.

A partir de este momento la comunicación entre ambas

familias deberá ser fluida, basada en el diálogo, la tolerancia y la receptividad, evitando la imposición caprichosa por alguna de las partes, con el objeto de lograr, conjuntamente, una jornada nupcial inolvidable.

II

Preparativos

Conocido el día, fecha, hora, lugar, restaurante y trámites para contraer matrimonio, se comenzará confeccionando la lista de invitados en la que suelen estar incluidos los familiares y amigos de los novios y de los padres, para posteriormente pasar a comunicarles la grata noticia a través de las invitaciones.

Habrá que detenerse en ciertos casos especiales, como los de las parejas separadas. Si la separación o el divorcio es bastante reciente, lo más diplomático, aunque en ocasiones resulte difícil, es no invitar a ambos a la boda dado que un encuentro entre ellos puede suponerles un problema emocional u ocasionar reacciones de hostilidad en público. Esto no tiene por qué generalizarse, sin embargo, en caso de duda, debe darse la oportunidad a uno u otro de rechazar la invitación. Una vez confirmada la asistencia de éstos –la cortesía obliga a la prontitud de la respuesta–, habrá que ordenarla en función de si queremos colocarlos en la ceremonia y en el banquete por orden protocolario o de jerarquía.

Lógicamente, una boda civil es más sencilla de organizar que una boda religiosa.

Participaciones, invitaciones, agradecimientos

Hoy las imprentas ofrecen un amplio y variopinto surtido de participaciones e invitaciones. Sin embargo, resaltaré que «la sencillez es privilegio de reyes», y el típico tarjetón blanco, sencillo, que sirve de participación e invitación a la vez, es el más utilizado, fino y elegante.

Si los novios han decidido depositar su lista de bodas en algún establecimiento comercial, lo indicarán en una tarjeta pequeña que acompañará al tarjetón.

Es conveniente, también, encargar a la imprenta las *tarjetas de agradecimiento* que se enviarán tras la luna de miel. Y si la boda es muy formal, encargaremos las *tarjetas personales de plato, las tarjetas individualizadas con un plano del lugar* a ocupar por los comensales en el salón del banquete, y las tarjetas de situación en el lugar de la ceremonia.

¿Cuándo se reparten las invitaciones?

Los novios entregarán personalmente las invitaciones al menos con *cuarenta y cinco o cincuenta* días de antelación.

¿Cómo se preparan los sobres?

Los sobres deben ir escritos a mano consignándose en ellos, por ejemplo: *«Sr. Barros y Señora»*, si la invitación va dirigida a un matrimonio. O *«Sr. D. José Barros y familia»* si se trata de una familia con hijos menores.

De haber hijos mayores, a éstos también se les presentará una invitación nominal (por ejemplo: *«Sr. D. Agustín Barros Bastos»*).

Si el destinatario poseyese algún tratamiento específico, éste se antepondrá al nombre (por ejemplo: *«Exmo. Sr. D. Agustín Barros Bastos»*) (figura 2).

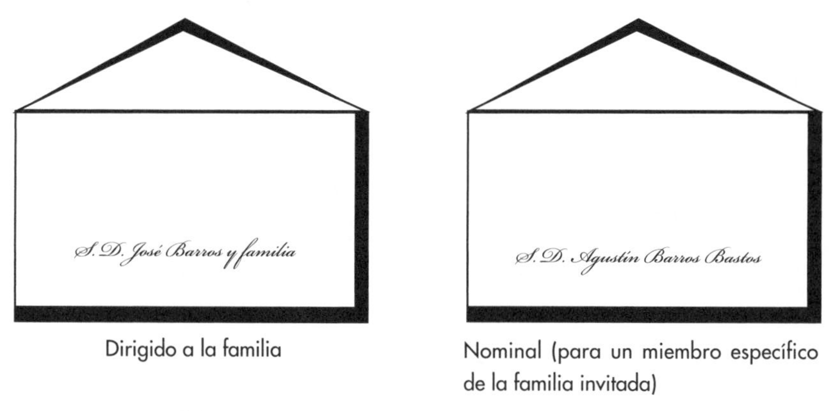

FIGURA 2. *Modelos de sobres de invitación.*

Tipos de participación y de invitación

Las participaciones (figura 3) pueden efectuarse independientemente de las invitaciones (figura 4). Esta distinción suele hacerse atendiendo a quien corre con los gastos del aconteci-

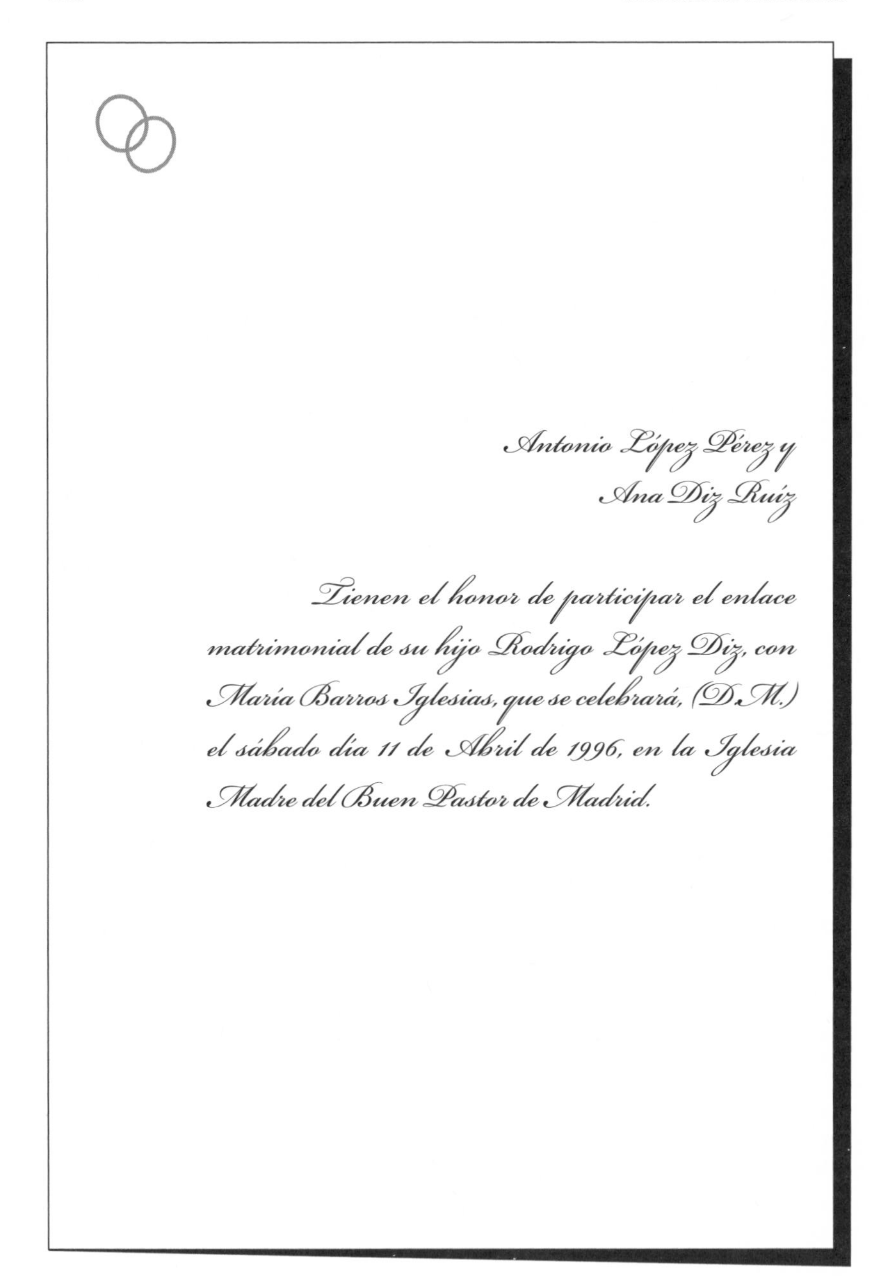

Antonio López Pérez y
Ana Diz Ruíz

Tienen el honor de participar el enlace matrimonial de su hijo Rodrigo López Diz, con María Barros Iglesias, que se celebrará, (D.M.) el sábado día 11 de Abril de 1996, en la Iglesia Madre del Buen Pastor de Madrid.

FIGURA 3. *Ejemplo de una participación (lo ideal es que se haga en cartulina fina tamaño folio, doblada por la mitad, y escrita, exclusivamente, en la portada).*

José Barros Martínez y María Iglesias Ruíz

Tienen el honor de invitarle a la Ceremonia Religiosa del enlace matrimonial de su hija María Barros Iglesias con Rodrigo López Diz, que se celebrará (D.M.) el Sábado día 11 de Abril de 1996, a las 12 horas en la Iglesia Nra. SeÈora Madre del Buen Pastor.

(Raimundo Fdez. Villaverde)

Caballeros: Chaqué.

Señoras: Vestido corto.

Señor Don...

FIGURA 4. *Ejemplo de una invitación a la ceremonia religiosa.*

José Barros Martínez y María Iglesias Díaz

Tienen el honor de invitarle al Acto Civil del enlace matrimonial de su hija María Barros Iglesias con Rodrigo López Diz, que se celebrará el Sábado día 11 de Abril de 1996, a las 12 horas en el Salón de Sesiones del Ayuntamiento de...

..

Caballeros: Traje ooscuro

Señoras: Vestido corto.

Señor Don...

FIGURA 5. *Ejemplo de una invitación al Acto Civil.*

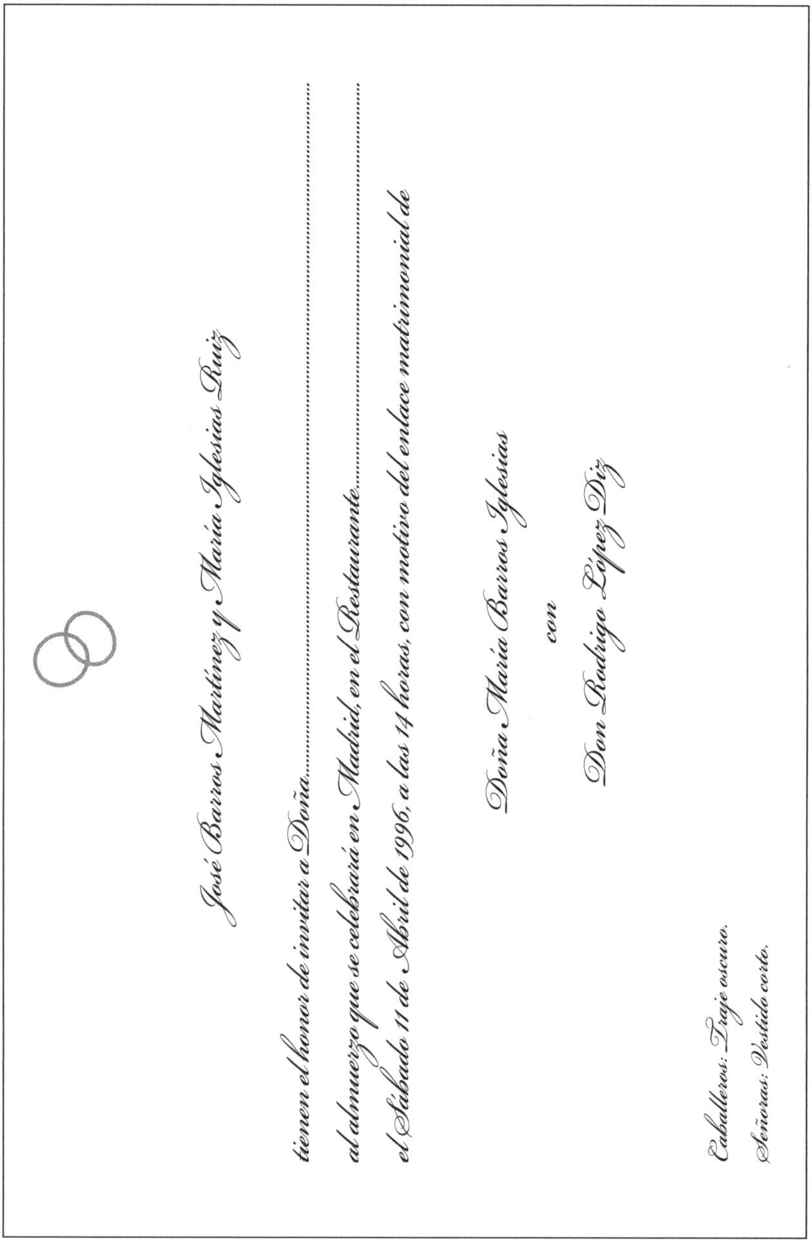

José Barros Martínez y María Iglesias Ruiz

tienen el honor de invitar a Doña..........

al almuerzo que se celebrará en Madrid, en el Restaurante..........

el Sábado 11 de Abril de 1996, a las 14 horas, con motivo del enlace matrimonial de

Doña María Barros Iglesias

con

Don Rodrigo López Diz

Caballeros: Traje oscuro.
Señoras: Vestido corto.

FIGURA 6. *Invitación al banquete. Tamaño real: 21 × 15 cm.*

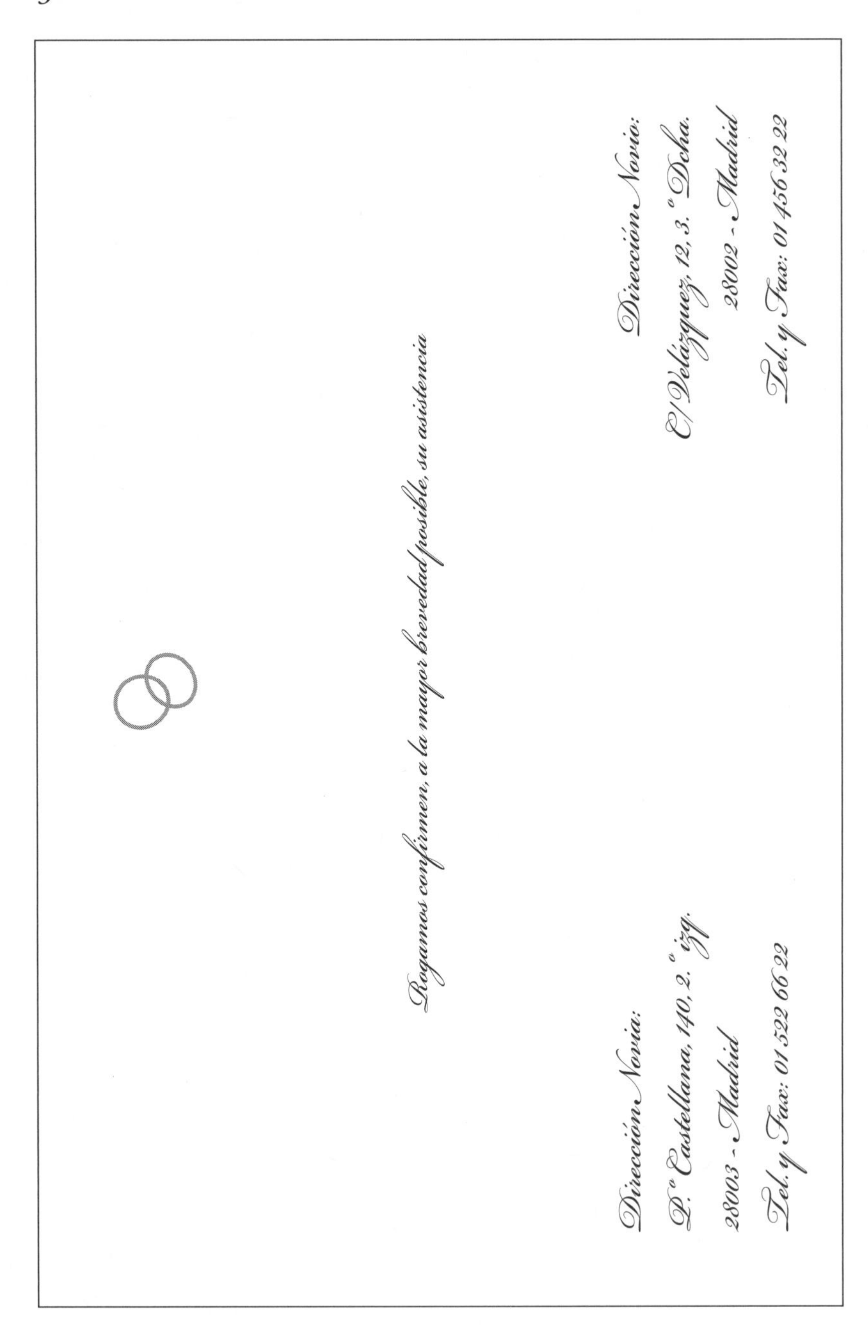

FIGURA 7. *Nota acompañante de la participación e invitación independiente. Tamaño real: 16 × 12 cm.*

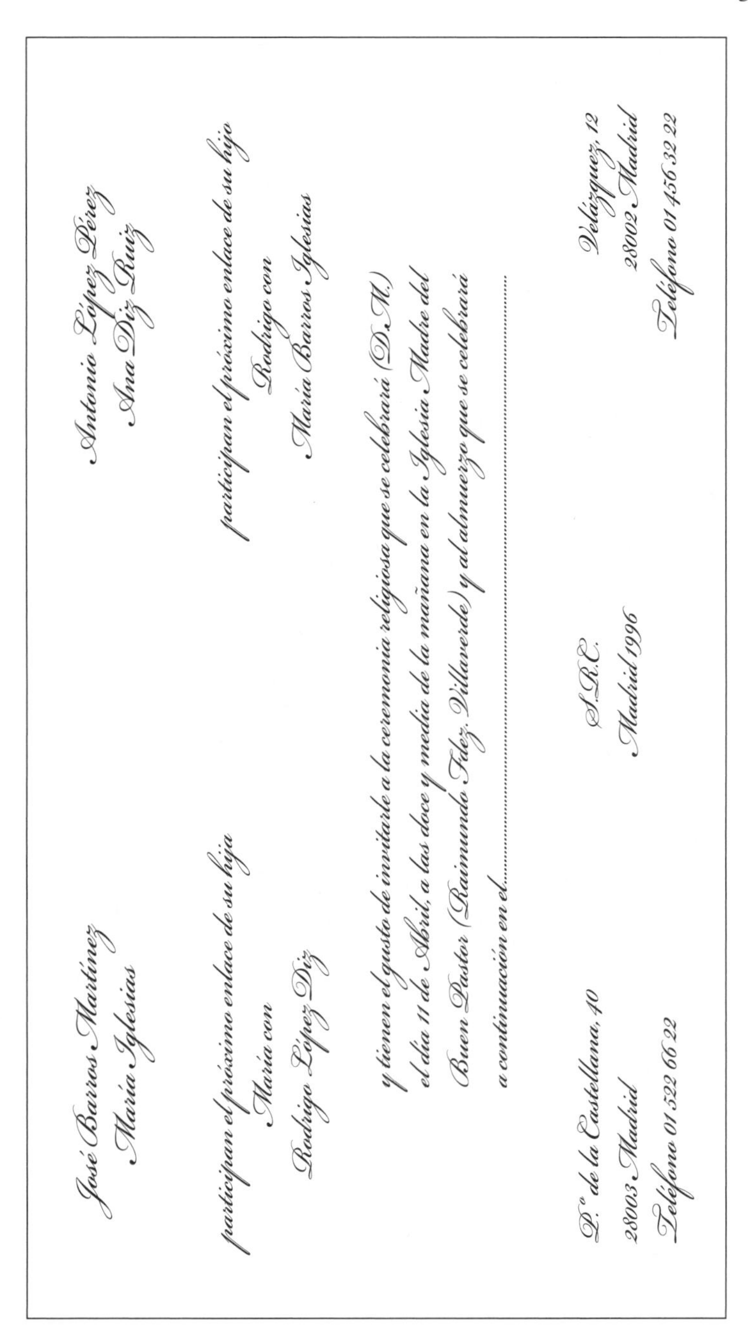

José Barros Martínez
María Iglesias

participan el próximo enlace de su hija
María con
Rodrigo López Diz

Antonio López Pérez
Ana Diz Ruiz

participan el próximo enlace de su hijo
Rodrigo con
María Barros Iglesias

y tienen el gusto de invitarle a la ceremonia religiosa que se celebrará (D.M.)
el día 11 de Abril, a las doce y media de la mañana en la Iglesia Madre del
Buen Pastor (Raimundo Fdez. Villaverde) y al almuerzo que se celebrará
a continuación en el...

Pº de la Castellana, 40
28003 Madrid
Teléfono 01 522 66 22

S.R.C.
Madrid 1996

Velázquez, 12
28002 Madrid
Teléfono 01 456 32 22

FIGURA 8. *Participación-invitación conjunta modelo 1.*

José Barros Martínez   *Antonio López Pérez*

María Iglesias   *Ana Diz Ruiz*

participan el próximo enlace de su s hijos

María y Rodrigo

y tienen el gusto de invitarle a la ceremonia religiosa que se celebrará (D.M.)
el día 11 de Abril, a las doce y media de la mañana en la Iglesia Madre del
Buen Pastor (Raimundo Fdez. Villaverde) y al almuerzo que se celebrará
a continuación en el...

P.º de la Castellana, 40   *S.R.C.*   *Velázquez, 12*
28003 Madrid   *Madrid 1996*   *28002 Madrid*
Teléfono 01 522 66 22   *Teléfono 01 456 32 22*

FIGURA 9. *Participación-invitación conjunta modelo 2.*

miento: el que paga invita y el que no, participa. Ahora bien, sería más lógico que al acto del enlace, y sobre todo si es religioso, se participase y se invitase prescindiendo de razones económicas. No obstante *la participación, las invitaciones, y la nota rogando la contestación van en el mismo sobre* (a lo que se añadirá la tarjeta de la lista de bodas, si se desea).

Hoy es común que las dos familias contribuyan económicamente, por lo que, con frecuencia, se unen en *una sola participación-invitación* que recoja el mensaje de ambos (figuras 8 y 9).

Por su parte, muchos novios que afrontan todos los gastos tienen el bonito gesto de permitir a sus padres la participación e invitación a la ceremonia y banquete. Son conscientes de que es la última acción, «en teoría», que hacen los padres por sus hijos, pues a partir de este momento se dice que éstos «vuelan del nido».

Tarjetas de visita

Es hora ya de hacer las tarjetas de visita con el *nombre* de los futuros cónyuges, el *teléfono* y la *nueva dirección* de donde vayan a vivir juntos. Son de mucha utilidad, sobre todo, en el período de preparativos.

Tarjeta para lista de bodas

Hasta no hace mucho tiempo, confeccionar una lista de regalos estaba considerado como una falta de delicadeza. Sin embargo, el hecho de que los invitados siempre ofrezcan un

Lista de boda

Establecimientos:

GALERÍA AMERICANA
TODO PARA EL HOGAR
MENAJE ESPAÑA

FIGURA 10. *Tarjeta muda (si va acompañando a la participación-invitación, y simplemente indicando el nombre de los establecimientos).*

Madrid, abril de 1996

Conociendo la asistencia a nuestro enlace, y para facilitaros vuestra buena intención, hemos decidido abrir Lista de Boda en los establecimientos:

EL RINCÓN DE LA CASA
MENAJE ESPAÑA

No obstante, nuestra mayor alegría es, simplemente, poder compartir ese día con nuestros seres queridos.

Un abrazo

FIGURA 11. *Tarjeta acompañada de texto aclaratorio.*

presente, ha llevado a la utilización de este sistema como *algo positivo* pues, entre otras cosas, facilita el cambio de regalos a los novios por cualquier razón (por repetición, o porque no les gustan...). Algunos atribuyen la invención de este tipo de lista a la famosa millonaria Bárbara Hutton, casada múltiples veces.

De todas formas, no hemos de olvidar que *una invitación ha de ser siempre generosa y desinteresada,* por lo que no debiera sorprender si alguien asistiese a la boda sin haber ofrecido ningún regalo a los novios.

Para la lista de bodas suele utilizarse una tarjeta reducida, del estilo de las mostradas en las figuras 10 y 11, a excepción de aquella tarjeta que los anfitriones decidiesen redactar libremente.

Desembolso económico

El desembolso económico que origina una boda es importante. Las costumbres al respecto cambian, dependiendo de cada lugar del país y lógicamente, *de las posibilidades económicas de las familias.* Es el momento de aclararlo sin prejuicios.

En algunas comunidades todos los gastos de la ceremonia corren por cuenta de los padres de la novia, en tanto que el ajuar del novio, la casa y el viaje de luna de miel corren por cuenta de éste. En otras zonas, sin embargo, los gastos se reparten.

No obstante, parece haber coincidencia en que en las ceremonias religiosas es la *familia de la novia la encargada de los adornos florales de la Iglesia, coches o carruajes, así como de la colocación de las alfombras rojas y del vestido de los reclinatorios,* de ser necesario. Se cuenta como gasto, por otra parte, el *donativo* que los novios suelen hacer a la Iglesia o a alguna asociación benéfica como prolongación de su propia alegría, y el *detalle al padrino* por acceder a asumir ese papel.

En la actualidad, es bastante habitual que los novios quieran contribuir económicamente y lo programen todo con antelación, puesto que es frecuente que se casen cada vez con más edad.

Los padrinos. Simbología

Las figuras del padrino y de la madrina se encuentran muy arraigadas en la ceremonia religiosa, ya que, aunque tienen la misma función que los testigos, encierran la tácita misión moral de ayuda al futuro matrimonio en momentos de precariedad. En la ceremonia civil, las dos personas que acompañan en situación preferente a los novios dan, únicamente, testimonio de la celebración del acto. Lo correcto sería que el padrino fuese el padre de la novia y la madrina, la madre del novio. De no ser posible, esta representación la ostentaría el familiar más cercano.

Como anécdota señalaré que el personaje de la madrina surgió para, en compañía de las doncellas, guiar al novio hasta el lugar de la celebración, con el fin de que éste no se «perdiera».

III

Indumentaria y complementos

Algo sobre la historia del traje de novia

La historia del traje o vestido de novia es joven, según la concepción actual del mismo.

En efecto, las mujeres aristócratas y de la realeza vestían trajes de ricos tejidos, preciosos materiales y delicados y esmerados bordados en colores cuya tonalidad era más fácil y a la vez costosa de lograr entonces, y que coincidían con aquellos que los psicólogos dan en decir que evocan el poder. Es el caso del púrpura o el rojo, el dorado y el negro. Se trataba de que la novia estuviera impresionante y fuese contemplada con admiración y aceptación por su inmediata familia política, que en muchas ocasiones ni conocía.

Las novias de familias unidas políticamente a un territorio solían vestirse con ricos trajes típicos.

Existen también testimonios de otras civilizaciones, como

algunas orientales, donde el lujo y esplendor alcanzan sus cuotas más elevadas en el vestido de la novia.

Pero centrándonos en nuestro mundo occidental, se considera que el «antes y el después» del vestido nupcial lo estableció la reina Victoria de Inglaterra cuando en el siglo XIX, en 1840, se casó con Alberto de Sajonia-Coburgo y por amor. Su traje era blanco con cola y de encajes y bonito velo bordado. A partir de entonces las bodas de sus hijas, nietas y bisnietas siguieron su gusto como una tradición, y al emparentar todas ellas con las casas reinantes de Europa, se erigieron como iconos de moda en lo que a vestidos de novia se refiere.

A principios del siglo XIX el color blanco y vestido largo simbolizaba el poder y riqueza, poco después la candidez y estilo, hasta llegar a considerarse el color del glamour gracias a la industria del cine de Hollywood, que puso de moda el satén blanco en sus actrices.

Los años 20 acortaron las faldas, dejando ver algo de pierna a la novia y liberaron a ésta de la cintura de avispa, o lo que es lo mismo del opresor corsé; además proliferaron los modelos con mezclas de géneros como el terciopelo o finas pieles blancas utilizadas asimismo para la confección de los detalles del cabello.

En los años 30 se retornó al estilo genuino y dulce de época victoriana. Luego la guerra y la postguerra llevan a la austeridad y las novias se casan con vestido y chaqueta o traje chaqueta corto, en incluso de negro.

A partir de 1950 comienza cierta alegría y vuelven las faldas muy amplias y más largas. Se retoma la ilusión, los colores claros (rosa, celeste, marfil...), los cortes superfemeninos y originales, los bordados con abalorios, canutillos, perlas y lentejuela de nácar y las flores de tela en el pelo con velos cortos y abundantes.

Los años 80 –y en especial la boda del Príncipe Carlos de Inglaterra con su primera esposa– ponen de moda el vestido de novia muy elaborado y cargado. Sin embargo los 90 dan paso a la total sencillez, al denominado minimalismo. El siglo XXI da sus primeros pasos con una vuelta a lo convencional pero no recargado. No obstante, cada novia puede ir como quiera, pues las tendencias son infinitas y todas ellas bien vistas y reconocidas.

Vestuario de la novia en el acto civil y en el religioso. Complementos

La indumentaria dependerá del acto que se haya decidido celebrar (si civil o religioso).

Si es civil, normalmente será de **corto** (aunque no se puede descartar un vestido largo muy sencillo); y para darle un aire ceremonioso lo ideal es que sea claro (blanco, beige...). En estos casos, lo propio es el traje de chaqueta o vestido y chaqueta o, incluso, vestido y abrigo. Como complemento distinguido un ramo de flores delicado y discreto, aunque dependiendo de la época del año y de la personalidad de la novia pudiera ser de colores vivos. Los *zapatos deben ser a juego* con el color del traje. Llevar tocado, sombrero o casquete en la cabeza, depende del gusto de la novia (si ella se encuentra o no favorecida); y de elegirlo, lo precavido sería que se *lo probase previamente* con el peinado y maquillaje que llevará el día de la boda (figura 12).

Si el acto es religioso, lo tradicional invita al vestido **largo**

FIGURA 12. *Modelo para el acto civil: normalmente corto y de tono claro.*

de color blanco y con tul (a veces sustituido por la mantilla de encaje blanco o beige, reliquia de familia). Puede ser con o sin cola. Su hechura está sometida a los cánones de la moda y al gusto de la propia novia, pero al ser una ceremonia religiosa no son apropiados los escotes delanteros generosos, ni la ausencia de mangas.

Elección del traje nupcial según la figura de la novia

Estas líneas tienen por objeto ayudar a la novia a elegir el vestido del «gran día» teniendo en cuenta su forma básica corporal. De todas formas el «aire del vestido» va a depender del mes, la hora, el lugar y el tipo o estilo de la ceremonia.

Normalmente suele empezar a elegirse el vestido de novia en el período comprendido entre los seis y tres meses antes de la ceremonia.

Cada forma corporal agradece unas líneas y cortes concretos diferentes, aunque cada tejido, color, ornamento y complemento obedece a la personalidad de la novia.

Común a todas las formas se aplican ciertos criterios que llevan al equilibrio del cuerpo, disimulando zonas anchas y ampliando zonas finas, alargando zonas cortas y acortando aquellas otras demasiado espigadas.

Podemos establecer una clasificación de formas corporales atendiendo al contorno del pecho, caderas y cintura, forma de los hombros, volumen de las piernas y brazos.

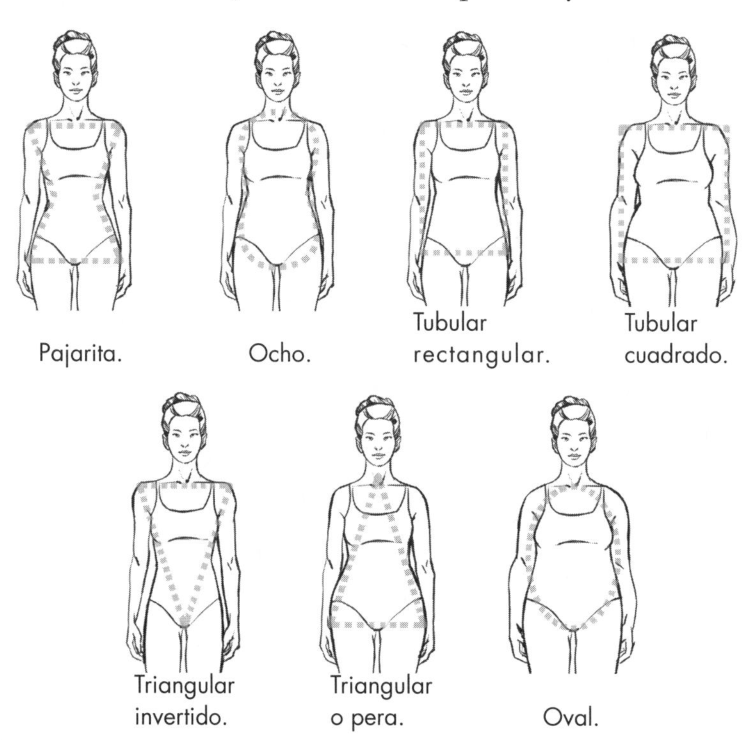

Pajarita. Ocho. Tubular rectangular. Tubular cuadrado.

Triangular invertido. Triangular o pera. Oval.

Cuerpo con forma de «pajarita» o «reloj de arena». Vestidos con trazos adecuados.

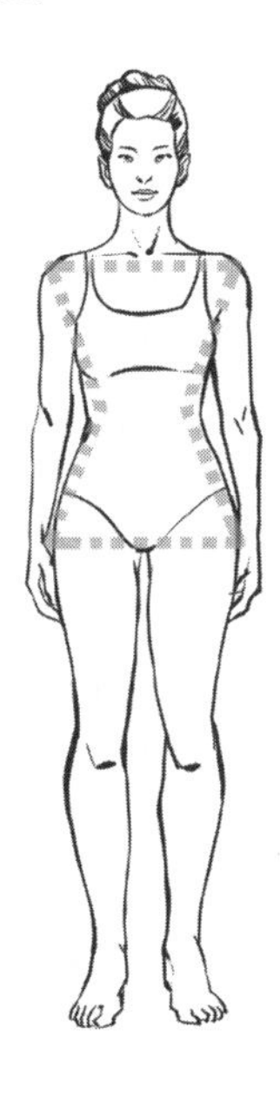

Así, el cuerpo más perfecto y equilibrado es el llamado **de pajarita o reloj de arena,** que por serlo admite todo tipo de diseños, cortes, colores, dibujos, estructuras y tejidos. Es aquel en el que el contorno de pecho es igual al contorno de cadera, viéndose la cintura estrecha resaltada por las nalgas redondeadas. Para sacar el máximo partido a este cuerpo, la cintura deberá ponderarse sin dilación, y la cadera y el busto se marcarán sin llegar a la provocación. La parte de la falda puede lucir al bies, acampanada, a paños, plisada y recta, siempre partiendo de una cintura muy entallada.

Cualquier otra forma de cuerpo debe vestirse de tal forma que logre el efecto óptico de un cuerpo equilibrado.

Figura de pajarita o reloj de arena.

Figura de pajarita o reloj de arena.

Figura de pajarita o reloj de arena.

Cuerpo con forma de «8» o «guitarra». Vestidos con trazos adecuados.

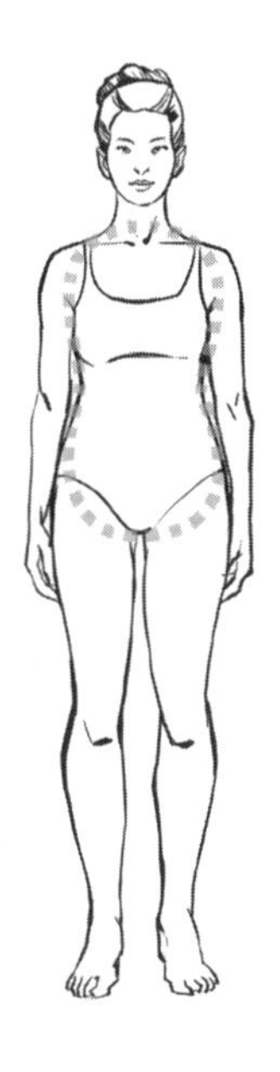

Forma corporal en **ocho o guitarra.** Como su nombre indica, es todo él con curvas: bastante busto, caderas y nalgas tornadas y cintura estrecha. La parte inferior del cuerpo talla un poco más que la superior. Marcar las formas del cuerpo resalta la belleza del mismo, para lo que es preciso utilizar tejidos suaves, que se ajusten ligeramente (con poca textura: seda, chiflón, crepe, tejidos ajustables, con algo de licra...) y no provoque un efecto óptico de varias tallas más sobre el contorno de caderas y de pecho. Se evitarán ornamentos u otros detalles. Sin embargo, las formas cruzadas atadas o no a un lado perfeccionan la cintura y el busto y las faldas sesgadas o al bies afinan y potencian la cintura. (Ver ilustración en página siguiente).

Figura en ocho o guitarra.

Cuerpo con forma tubular rectangular y tubular cuadrado. Vestidos con trazos adecuados.

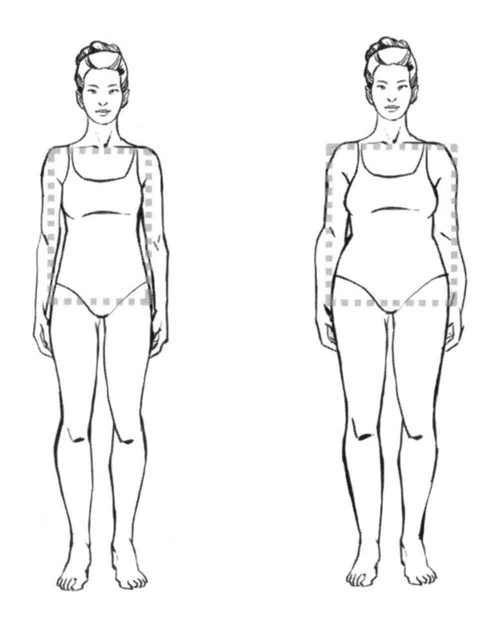

El cuerpo **tubular** puede ser **alargado o cuadrado**
El alargado se caracteriza por poseer poco busto, en tanto que el cuadrado, con estructura más ancha, por tenerlo separado.

Haciendo gala a su nombre, el cuerpo tubular es recto y tiene equilibrados los hombros y la cadera, a pesar de que las nalgas son planas; pero sin definir la cintura.

Suelen ser los hombros del **tubular cuadrado** rectos y angulosos, las extremidades delgadas y ocasionalmente el contorno de la cintura superior al de las caderas y pecho. A este cuerpo tubular habrá que intentar ensalzarle el busto, disimular la zona de la cintura y destacar la cadera. El corte princesa es apropiado, con pinzas y detalles en la parte superior, incluso encajes superpuestos en la zona del pecho, para el tubular alargado y para ofrecerle volumen.

En general las formas rectas, sin frunces, son las recomendables; y las rayas y formas geométricas se pueden aplicar horizontales para el cuerpo tubular alargado, y verticales para el tubular cuadrado.

Figura tubular rectangular.

Figura tubular cuadrada.

Figura tubular rectangular.

Figura tubular cuadrada.

Cuerpo con forma triangular o «pera» Vestidos con trazos adecuados.

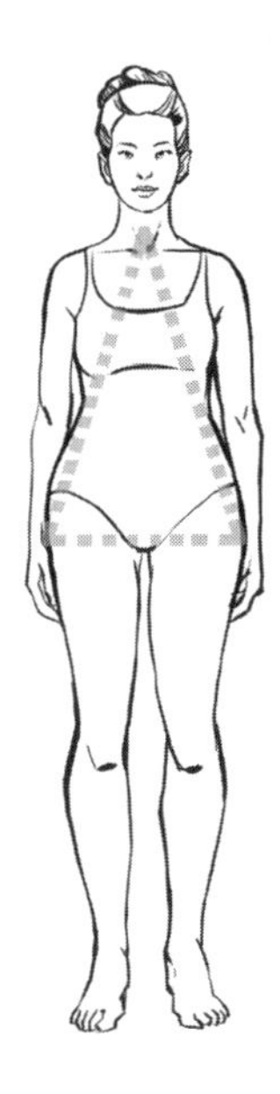

El cuerpo **triangular o pera**, muy femenino, sufre cierta desproporción entre la parte superior y la inferior.

La zona superior es menuda y estrecha –y a veces con los hombros bajos– y la mayor diferencia respecto de la zona inferior parte de la cintura, donde vertiginosamente se ensancha la cadera que concluye con unas piernas rellenas.

La solución para vestir a esta novia pasa por ampliar ligeramente la zona de los hombros, utilizando guatas (hombreras), volantes... y dejar suave holgura en el cuerpo. La zona inferior se confeccionará con amplitud irremediable: a paños, al bies, con telas de poco o medio peso, como sedas, creps o tules de punto. De preferir un corpiño, éste finalizará justo en la cintura sin llegar en ningún caso a la zona ancha de la cadera.

Los tejidos seleccionados para la parte de arriba tendrán

más cuerpo y se puede utilizar el mismo tejido de la parte inferior forrado. Los escotes en la espalda así como las mangas japonesas o ranglan son desaconsejables.

Figura triangular o pera.

Figura triangular o pera.

Figura triangular o pera.

Figura triangular o pera.

Cuerpo con forma triangular invertido. Vestidos con trazos adecuados.

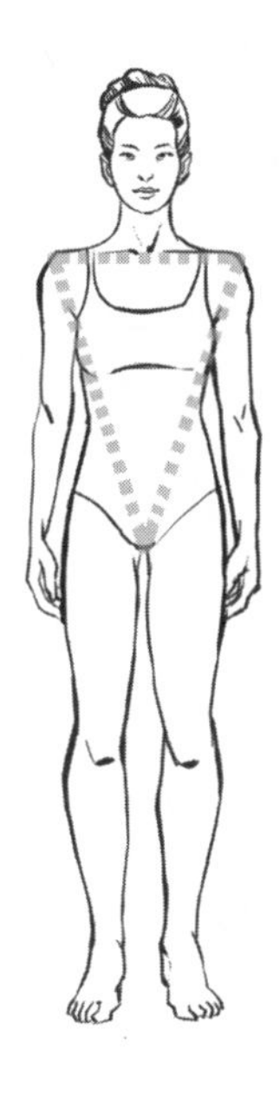

El cuerpo **triangular invertido**, a la inversa del triangular o pera, requiere potenciar todos los detalles en la parte inferior del vestido. Se trata de un cuerpo de amplios hombros y estrechas caderas que en muchos casos posee bastante busto.

Le favorece las líneas rectas, plisadas o a paños, evitando frunces en la cintura así como volantes o capas. Al ser una estructura corporal angulosa lo mejor es utilizar tejidos con apresto como sedas y satenes forradas y telas con cierta arruga. También le favorecen los escotes amplios, líneas y dibujos geométricos.

Figura triangular invertida.

Figura triangular invertida.

Figura triangular invertida.

Cuerpo con forma oval. Vestidos con trazos adecuados.

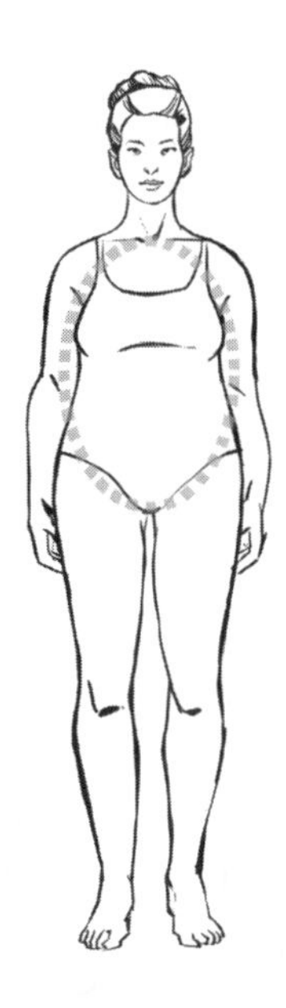

El cuerpo **oval** se caracteriza por sus hombros curvos redondedos que dan continuación a la redondez de la espalda y de la zona central del cuerpo y termina con unas nalgas planas.

Las líneas que favorecen a este cuerpo son las rectas y básicamente sin adornos salvo en la zona superior, aunque las telas deben colgar de los hombros y ser de buena caída (creps, sedas, tules de punto), poco gruesas y evitando las rugosas para suprimir la sensación de volumen

El corte princesa o el dos piezas son sus aliados. Sin solapas o sólo con ellas redondeadas, la parte superior luce perfecta y la inferior mejora con faldas cruzadas o a paños.

Figura oval.

Figura oval.

En cualquier caso, un «gran día» no debe obligar a cambiar el estilo propio, el color o las formas que la novia bien sabe que le favorecen. Experimentar una imagen nueva en una fecha tan importante es un riesgo que entraña un 70% de posibilidades de equivocarse, y además el espíritu, el áurea de la personalidad de la novia debe permanecer y proyectarse más que nunca ese día.

Detalles para sacar máximo partido al cuerpo, vestida de novia

1.- Si el vestido de la novia va partido en dos (superior e inferior) por una costura, no es prudente que lo haga en la zona más rellena de la figura.
2.- Si fuese un dos piezas, tampoco la pieza superior concluirá en la zona más ancha del cuerpo (cadera o cintura).
3.- La falda, si no es larga, evitará terminar en la zona más gorda de la pierna.
4.- Cuando la novia tenga mucho busto, la manga será larga, tres cuartos o sin ella. Jamás media manga, pues ampliaría ópticamente el pecho.
5.- Cuando la novia tiene poco busto se deben añadir detalles sobre él y mejorar el sujetador.
6.- Si el cuello de la novia es corto, le quedan perfectos los escotes despejados tipo pico, ovalado, cuadrado o barca.
7.- Con cuello largo –sin papada– logra disimular su longitud la gola o el escote a la caja, e incluso los complementos que envuelvan el propio cuello.
8.- La novia cuya figura sea triangular invertida ve proporcionada la anchura de su espalda poniéndola al descu-

bierto, al igual que la parte delantera, pero evitará el palabra de honor si tiene bastante pecho.

9.- Si es triangular o pera, le va bien el escote de ojal y una manga donde ocultar las hombreras con el fin de ampliar los hombros.

10.- A las figuras que poseen hombros rectos, les convienen mangas ranglan, japonesa o murciélago siempre y cuando la estatura de la novia no sea muy reducida.

11.- Para hombros caídos o redondeados, siempre hombreras.

12.- A la hora de elegir los materiales de confección se tendrán en cuenta que los brillos son para la tarde-noche (rasos, pedrerías, oro, plata) y que a las pieles morenas les favorece el blanco y a las pieles blancas los rotos o marfiles.

13.- El color más adecuado para las medias es el nacarado, y por razones de comodidad son recomendables las de liguero adherente.

14.- La novia elegante siempre lleva una enagua con un bonito remate, que puede asomar en la subida al automóvil, en el primer baile... Asimismo, un pañuelo fino bordado de hilo, preferiblemente cosido a mano.

15.- En cuanto a los zapatos, si los tobillos son delgados se pueden añadir detalles como trabillas, pasamanería... o calzar botines Si por el contrario los tobillos son anchos, convienen los zapatos escotados y despejados. (Ver ilustraciones).

Complementos que la novia debe llevar y no debe llevar

Entre las joyas a lucir estará el regalo de pedida (anillo, pulsera..., si lo hubo), unos pendientes que iluminen el rostro, pero que no provoquen un fuerte impacto, y un detalle en el cuello dependiendo del escote y de la dimensión de los pendientes. A veces el prendedor del pelo también puede ser una joya, como un bonito broche o una tiara.

No son propios como complemento del traje de novia el reloj, el bolso y los guantes; únicamente los de piel de cabritilla claros para una boda civil y con traje chaqueta o traje dos piezas y corto. Sí, sin embargo, un abanico pequeño y delicado de marfil y encaje. (Ver ilustraciones).

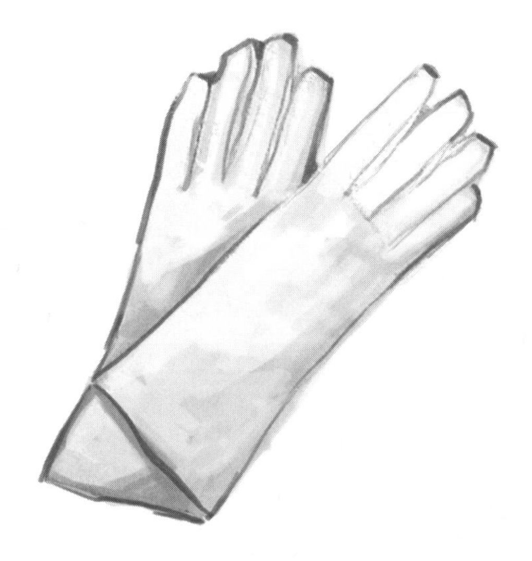

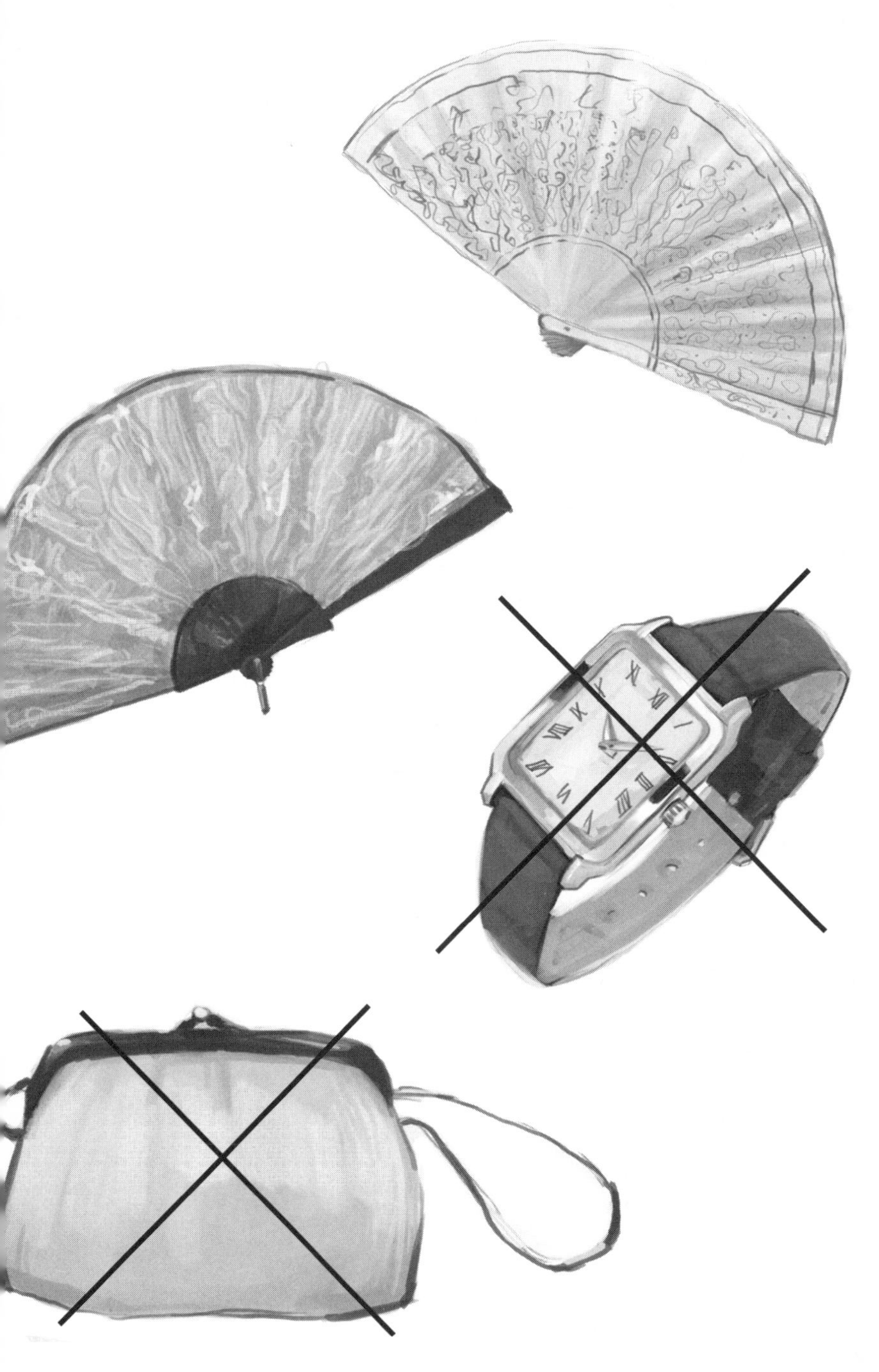

Complementos que SI y que NO se deben llevar.

Algunas reflexiones

La selección del traje de novia no debe limitarse a entrar en el primer establecimiento y comprarlo de inmediato, aun cuando guste mucho. Dado que es un capítulo importante de gasto, se verán varias alternativas e incluso cabe la opción de la confección a medida –siempre que se conozcan las manos de quien lo elaborará– para añadir detalles que diferenciarán al vestido como único y para disfrutar con todo el proceso.

Es significativo que la elección sea personal, asesorada, tal vez, por los profesionales de moda nupcial más que por las amistades u otras personas que pueden enturbiar un resultado perfecto.

Toda novia debe saber que los cortes y trazos de los vestidos nupciales están todos ya inventados y que se repiten siempre. Ahora bien, lo que hace exclusivo y diferente a un traje son las telas, adornos, detalles y complementos que asimismo reflejarán la personalidad de la novia.

No hay que olvidar que los invitados esperan ver a una novia tal cual es ella: *sofisticada* si habitualmente es así; *austera* y sin apenas complementos, si siempre viste de esa forma; *joven*, cuando su espíritu sea tal –con independencia de la edad–, o *apretada y sufridora* cuando sea coquetísima: «Querer aparentar lo que no se es supone un error».

Señalar también que los preparativos y tensiones de la boda suelen hacer bajar de peso a la novia, por lo que, en ocasiones, es necesario practicar un pequeño reajuste al vestido. Ahora bien, no ocurre lo mismo con todas y sería un desacierto comprarse o confeccionarse el vestido con una o varias tallas menos.

Detalles para ir bien según la época del año

En los meses *frescos*: son apropiadas las telas bordadas, los rasos de seda y los terciopelos. Los zapatos pueden ir abiertos detrás.

En los meses *fríos*: los vestidos con manga, los adornos de plumas, terciopelos, finas pieles, casquetes de tela, pasamanerías, bordados profundos, hilos de oro y plata y telas de más consistencia, como sedas forradas o creps de lana y brocados.

Los zapatos cerrados forrados o botines de encaje son una buena elección.

En los meses de *calor*: vestidos de tirantes o sin mangas (que pueden estar cubiertos con otro complemento durante la ceremonia si es religiosa), los géneros de gasa, encaje, tul, siempre la seda. Es sobre todo en verano cuando antes de elegir el género, la novia se informará sobre si va a permanecer sentada en el vehículo durante mucho tiempo antes de llegar al lugar de la ceremonia, pues los algodones, piqués o linos tienden a arrugarse, y deberá, en base a ello, determinar si se inclina o no por la utilización de estos tejidos naturales. Tampoco son descabellados tocados realizados en mezclas naturales incluyendo la paja o flores secas, o los zapatos forrados con la misma tela que el vestido, adornados y abiertos por detrás.

Es aconsejable probarse el traje y todos sus complementos, peinado y maquillaje varios días antes de la boda, para rectificar algo si fuese necesario y constatar «con lupa» que todo está correcto.

Elección del ramo

Respecto al *ramo* no hay limitaciones, con tal de que su composición resulte armoniosa, elegante y proporcionada a la persona que lo porta, pero resulta más simbólico que lleve azahar y la novia lo conserve durante toda la ceremonia. En muchos sitios lo paga el novio. Parece ser que esta costumbre del azahar tenía un fuerte arraigo entre las novias de Arabia, y que fueron los cruzados, retornando de Tierra Santa, quienes la trajeron. Pero el lector debe saber que en aquellas ceremonias religiosas emblemáticas o importantes el ramo no es sólo resultado del gusto de la novia, sino que puede llegar a ser objeto de estudio histórico y «hablar por sí», lo cual significa que cada uno de sus componentes tiene un significado. Por ejemplo, una Borbón podría llevar en su ramo lirios blancos en representación de la flor de lis inherente a su apellido, mezclados con azucenas, del color de la Virgen y símbolo de pureza, etc. En cualquier caso, no ha de olvidarse que la *elegancia pasa por la sencillez.*

El lenguaje de las flores

Existe el denominado lenguaje de las flores, cuyo origen se cree está en Oriente y su interés se acrecienta en la época egipcia y durante la Edad Media. En el Renacimiento alcanza el más puro y fino romanticismo, para luego, en época victoriana, ser un completo compendio de simbología y significados, emitiendo las propias composiciones un auténtico lenguaje de significados o códigos.

De ahí que antes de crear un ramo u ornamentar algo con flores, es conveniente conocer el significado de cada una:

EL SIGNIFICADO DE LAS FLORES

Acacia: Amor secreto, elegancia
Acedera: Paciencia
Aconito: Venganza.
Adelfa: Seducción
Adonis: Recuerdos amorosos
Adormidera: Consuelo, recogimiento
Agrimonia: Agradecimiento
Aguileña: Adolescencia
Albahaca: Aborrecimiento
Alerce: Audacia
Alhelí amarillo: Fidelidad en la adversidad
Alhelí encarnado: Belleza duradera
Almendro: Indiscreción, intrepidez
Almizcle: Debilidad
Altramuz: Veracidad
Amapola: Individualidad, sensación propia de las personas que se sienten especiales y amantes de la vida
Amapola blanca: Sueño

Amapola roja: Consuelo
Amaranto: Amor platónico
Amarilis: Coquetería
Ambrosía: La vuelta del amor, amor correspondido en igual intensidad.
Anémona: Abandono por hastío
Anturio: Sexualidad ardiente y exotismo
Avellano: Reconciliación
Azafrán: Conocimiento del exceso
Azahar: Símbolo de pureza y antigüedad
Azalea: Romance, fragilidad y pasión
Azucena: Corazón y espíritu inocente, pudor y delicadeza

Begonia: Cordialidad
Belladona: Sinceridad
Berbería: Gracia
Betonica: Sorpresa
Boca de dragón: Presunción
Brezo: Tradicionalmente se usa contra de los supersticiosos

Cacao: Prosperidad
Calas: Elegancia, nobleza y rectitud
Caléndula: Calma ante dificultades
Camelia: Belleza, amanecer
Campanilla de invierno: Esperanza
Campanuda: Coquetería
Capuchina: Obediencia
Capullo blanco de rosa Inocente en amor
Capullo rojo de rosa: Pureza
Cardo lanudo: Desquite
Centaurea: Felicidad

Ciclamen: Desconfianza
Cincoenrama: Afecto maternal
Clavel amarillo: Desdén
Clavel blanco: Ingenuidad, inocencia
Clavel estriado: Rechazo
Clavel rojo: Esperanza en un amor, enamoramiento
Clavel rosado: Recuerdo y apego
Clavel: Amistad, amor conyugal, seguridad y pragmatismo
Clavel silvestre: Amor de mujer
Clemátide: Belleza de alma
Corregüela: Humildad
Crisantemo: Sobriedad, nobleza y honestidad
Crisantemo amarillo: Amor en decadencia
Crisantemo blanco: Sinceridad, honestidad
Crisantemo rojo: Te quiero, amistad

Dalia: Inestabilidad, desorden, impulso, pasión
Diamela: Ternura
Dimorphoteca: Celo, cuidado

Eglantina: Amor y sufrimiento irán juntos
Enebro: Afecto duradero
Enredadera: Unión y comprensión
Escabiosa: Viudez, soledad tacita
Espiga de trigo: Riqueza, abundancia
Espliego: Fervor
Eupatorio: Gratitud, amabilidad

Farolillo: Agradecimiento
Flor de azahar: Castidad
Flor de ciruelo: Cumplimientos, seriedad, advertencia

Flor de cuclillo: Ingenio
Flor de frambuesa: Confianza
Flor de fresa: Bondad
Flor de lis: Llama, esperanza, ayuda total, belleza perfecta
Flor de manzano: Preferencia
Flor de romero: Eentusiasmo, optimismo
Flor de vainilla: Calma
Fresno: Obediencia
Fritillaria: Majestad
Fucsia: Fragilidad

Genciana: Injusticia, ventajas indebidas
Geranio: Amor a la tierra, cariño y armonía
Geranio escarlata: Consuelo
Geranio oscuro: Melancolía
Geranio rosa: Preferencia
Geranio trepador: Beneplácito de la novia y/o amigos
Gerbera: La importancia de las cosas
Gipsofila: Ternura, infancia y transparencia del alma
Girasol: Alegría infantil, espontaneidad, inmadurez, variabilidad
Gladiolos: Símbolo elegante de la solemnidad, así como de tristeza por ausencias
Guindo: Impaciencia

Haya: Grandeza
Helecho: Armonía, espiritualidad
Helenio: Lágrimas
Heliotropo: Carácter fuerte propio de una personalidad imponente, devoción, deseo de amistad
Hiedra: Fidelidad al matrimonio, resignación
Hierba centella: Deseo de riqueza

Hinojo: Fuerza, templanza
Hisopo: Limpieza
Hojas de laurel: Triunfo y victoria. Terquedad
Hortensia: Frialdad, aborrecimiento. Pude representar también la feminidad de las mujeres mayores

Iris: Elevación del espíritu
Iris azul: Noticias placenteras
Iris blanco: Esperanza

Jacinto: Constancia, afectos, beneplácito
Jazmín: Sensualidad
Junquillo: Deseo, potencia sexual

Lagrima: Agitación
Liatriz: Virilidad, rusticidad y agresividad
Lila: Primer amor, inocencia, juventud
Lilium: Lujo y belleza
Limonuin: Rusticidad, primitivo
Lirio blanco: Pureza
Loto: Elocuencia, inteligencia, integración
Lunaria: Sinceridad

Madreselva: Lazos de amor, fraternidad
Magnolia: Amor a la naturaleza, simpatía
Malva real: Ambición
Marbles: Alegría
Margarita: Infancia e inocencia, esperanza en el amor puro
Membrillo: Tentación, lujuria
Menta: Virtud, lozanía
Mimosa: Alegría juvenil, sensibilidad

Mirto: Amor, fraternidad, seguridad de hogar
Muérdago: Triunfo sobre obstáculos
Muget: Fecundidad femenina

Naranjo: Seducción
Narciso: Egoísmo, belleza interior
Nardo: Cita
Nenúfar: Pureza de corazón

Olivo: Paz
Olmo: Belleza divina
Orquídea: Belleza, dulzura, sentimiento sublimes. Flor nacional colombiana
Ortiga: Crueldad, castigo
Osmunda: Ilusión

Pasionaria: Fe, creencia
Pensamiento: Recuerdo, nostalgia
Peonia: Veracidad
Petunia: Travesuras, picardía
Primavera: Gracia
Protea: Salvajismo y rareza
Pulsátila: Locura y sentido primitivo

Ranúnculo: Ingratitud
Rosa: Amor
Rosa blanca y roja: Mezcla de sentimientos
Rosa sin espinas: Sin miedo
Rosa sola: Inocencia
Rosas amarillas: Pese a su belleza no es recomendable regalarlas, porque se relacionan con la envidia y los celos cuando

existe relaciones amorosas. Pero si lo que se tiene es una amistad, son las más recomendadas; sirven también para felicitar.

Rosas blancas: Además de ser elegantes y sobrias, se asocian con la pureza e inocencia. Por ello son las más utilizadas en ramos de novias, bautismos, primeras comuniones, convalecencias, honras fúnebres y ceremonias religiosas en general.

Rosas blancas y rojas: Unión

Rosas rojas: Expresan amor y pasión, quizás por esta razón son las preferidas por los enamorados

Rosas rojas y amarillas: Felicitaciones

Rosas rosadas: Ligadas a la felicidad y al crecimiento espiritual, no pueden faltar en las fiestas de quince años, los nacimientos y graduaciones. Además de ser una bella manera de transmitir agradecimiento a familiares y amigos.

Sabina: Socorro

Salvia: Virtud doméstica

Sauce llorón: Aflicción, nostalgia

Saúco: Fervor

Siempreviva: Esperanza, templanza, de corazón guerrero.

Tamarisco: Crimen, fechoría

Tejo: Pesadumbre

Tilo: Matrimonio, tranquilidad

Tomillo: Apoyo, constancia

Trinitaria: Perplejidad

Tulipán: Romance, respeto, fidelidad. Su significado por colores es el mismo que el de las rosas

Ulmaria: Inutilidad

Vainilla: Agrado, exaltación de los sentidos
Valeriana: Tranquilidad, resignación
Verbena: Encanto
Verónica: Fidelidad
Viborera: Falsedad
Vinpervinca: Amistad
Violeta azul: Confianza
Violeta doble: Amistad
Violetas: Belleza interior y lealtad
Zinnia: Nostalgia del ayer alegre

Algunas consideraciones sobre la mantilla

La mantilla forma parte del vestuario tradicional español femenino, triangular en un principio y en terciopelo o tejido común. Poco a poco fue sofisticándose hasta llegar al encaje. En épocas medievales simbolizaba la virginidad o soltería de la mujer. Las damas de buena posición la utilizaban como complemento de todo vestido. Y en la corte usaban el *manto de corte* o *velete* dispuesto en encaje catalán con dibujos alegóricos a su escudo de armas.

Las mantillas más comunes eran la *cortesana* y *la popular,* que en origen eran similares y cumplían la misma función –cubrir cabeza, hombros y espalda–, pero paulatinamente la cortesana se apartó de la línea original y fue adaptándose a las modas, con nuevos dibujos, formas, etc.

La *mantilla de casco* está confeccionada en tejido de damasco, de seda o terciopelo en su parte central y alrededor luce un volante de encaje de blonda.

La mantilla toalla es rectangular y de encaje

La mantilla de torno consta del volante, casco y velo (trozo de tela que se pone en la frente)

La mantilla de cerco toda ella es de encaje

Los colores de la mantilla dependían de modas y supersticiones, así se pueden observar en litografías antiguas mantillas rojas, para ahuyentar los demonios, o en amarillo, para lograr la custodia del dios del matrimonio Hymen, etc.

Lo cierto es que a partir del siglo XX, y siguiendo la misma trayectoria que los vestidos, el color por excelencia para la mantilla de novia es el blanco o marfil.

Tocados

La *diadema* o *tocado* realza la belleza de la novia, diferenciándola de todas las demás. Su tradición se remonta a algunos pueblos antiguos, como los hindúes, chinos o malayos, que simbolizan de esta forma «el reinado de la novia por un día». Evidenciaban que la corona poseía poderes mágicos.

Si además el tocado lleva *velo de tul* que cubra el rostro, mostrará unas facciones de expresión suave y dulce. Hace siglos, la novia se cubría así la cara para evitar el mal de ojo, los hechizos y las envidias de las solteras. El velo puede desprenderse del peinado tras el baile de apertura.

El cabello. Cuidados

El pelo es un apéndice córneo de la epidermis con forma de filamento flexible. Las características de un cabello sano son:

El brillo está directamente relacionado con la salud de la cutícula. Sus células, compuestas de una capa de queratina transparente, reflejan la luz en la superficie del cabello. Si se rompe la uniformidad de la superficie, la luz no se refleja, dando el aspecto de un cabello apagado y de aspecto sucio.

El volumen está relacionado con el diámetro y la forma de cada cabello, así como con la cantidad. El cabello más fino posee el menor diámetro y el grueso el mayor. Normalmente el cabello rizado tiene un diámetro mayor que el liso. El número de cabellos varía en función del color del mismo.

La flexibilidad y suavidad son características relacionadas con el contenido de agua del cabello y sus efectos sobre la proteína llamada queratina. Un cabello sano, al igual que una piel sana, necesita agua suficiente para mantener firmes y flexibles las fibras de queratina; de esta forma, el cabello se mantiene suave y flexible al tacto.

Para mantener un cabello sano, es necesario:

- Limpiarlo de forma continua y adecuada a cada tipo de cabello.
- Corregir la forma y adecuarla a la imagen que desee transmitir.
- Proteger de las inclemencias del tiempo y de factores externos.
- Cortar las puntas con frecuencia.

Peinados acordes al rostro

El peinado debe obedecer a la reglas o leyes fundamentales de las formas. Por ello, el rostro de cada novia (y novio) debe ser estudiado según su estructura para poder efectuar un corte y peinado que logre unas dimensiones armónicas y favorecedoras.

Los cabellos, sean largos, medios o cortos, forman un volumen más oscuro que se opone al fondo de la cara o del cuello.

Para dar más cuerpo a un cabello largo y fino pueden utilizarse extensiones. De igual manera, para construir un peinado sofisticado recogido se puede usar algún postizo.

Así, un **rostro alargado** evitará las melenas largas y lisas con raya al medio. También un cabello excesivamente corto, porque acentúa su longitud. Sin embargo un pelo corto capeado y con volumen en forma de grandes bucles, flequillo desigual y despuntado acorta el rostro. Una media melena recta y con mucho volumen cortada justo debajo de las orejas, con raya al lado y onda lateral en el flequillo también proporciona el rostro.

Al **rostro redondo** no le favorece el cabello tirante. Tampoco las melenas muy largas. Sí lo hace, sin embargo, el cabello corto con un ligero volumen en la parte superior y unos mechones peinados hacia la cara que atraigan la atención sobre la frente. Otro corte favorecedor y también corto es el de largos mechones y generoso flequillo hasta cubrir las cejas y que se prolongue sobre las orejas. A veces en caras muy redondas se hace preciso la raya a media altura (ni en el centro ni en el lado) y dejar caer una melena a ambos lados del rostro para ocultar los laterales del mismo.

Hay **rostros cuadrados** muy agradables, pero siempre son rígidos o un tanto angulosos, por lo que no les van los cabe-

CORTES ADECUADOS EN RELACIÓN CON EL ROSTRO

llos muy cortos, en tanto que la media melena asimétrica, con volumen, rozando los hombros, disimula el ángulo de la mandíbula. También lo hace un recogido bien alto y mechones sueltos sobre las sienes, laterales y frente.

Los **rostros triangulares invertidos** no deben llevar volumen en la parte alta de la cabeza ni tampoco flequillos perfectos y rectos, pues le amplían ópticamente más la frente. En estos casos es recomendable melena larga y recta con volumen u ondulaciones en las puntas y/o por la zona de las mandíbulas, y la raya a un lado dejando caer de forma natural el flequillo

El rostro ovalado es perfecto, sus líneas son armónicas y equilibradas, por lo que cualquier peinado le favorece, sin ofrecer complicación.

El rostro diamante se caracteriza por tener los pómulos prominentes y la frente y barbilla más reducida. A este rostro le favorecen los recogidos con un poco de flequillo o elevación del pelo ampliando ópticamente la frente; o el pelo suelto que cubra despuntado la zona de los pómulos.

En el caso del novio, sólo unas apreciaciones para aquellos que tienen «frente despejada».

Si el rostro es oval y la cabeza en consonancia, y sólo en ese caso, un completo rasurado ofrece frescura y juventud.

Si **el rostro fuese alargado** y con importante problema de calvicie nada mejor que llevarlo muy corto, a unos 2 milímetros, ya que rasurado daría imagen de extraterrestre.

Ahora bien, si no fuese demasiado dicho problema, un corte desfilado en el que los mechones se van encajando unos con otros es ideal. El pelo de la parte superior es un poco más largo y el de los lados se peina hacia atrás. Ofrece un aspecto deportista.

Si el rostro es redondo y la alopecia se extiende hacia las sienes, el mejor corte es en forma de cepillo y cuadrado: más voluminoso sobre las orejas e igualado a 1,5 cm en la parte superior. Este corte suaviza la curvatura del rostro.

Para casi todos los rostros y cuando las entradas son incipientes el corte romano césar con el flequillo hacia delante, si no es muy atrevido, rejuvenece.

Indumentaria del novio

El novio tiene varias opciones para contraer matrimonio elegantemente:

1. TRAJE OSCURO: Es un traje de corte impecable azul marino, azul negro o gris marengo. Los testigos y padrino deberán ir en consonancia con el novio.
2. CHAQUÉ (figura 14): Se trata de la *prenda de día* de más relieve del vestuario masculino (sin contar con los uniformes por parte de quien los posea).

Sin duda, *el padrino y los testigos* deberán llevar este mismo traje. Habitualmente tiene poco uso, por lo cual es muy normal *alquilarlo* para la ocasión, aunque, todo hay que decirlo, cada vez más su costo, antes prohibitivo, se va equiparando a los precios de los trajes convencionales. El tejido y confección de esta prenda suele ser excelente, aunque no está de más cerciorarse de ello.

Dependiendo de la *categoría de la boda* podrá ponerse en la invitación: «*Caballeros: chaqué*», para que todos los invitados varones acudan así vestidos a la ceremonia. El novio se decantará por esta prenda si la *novia va de largo*.

Sólo deberá ser utilizado si la ceremonia se hace, toda o la mayor parte de ella, con la *luz del día*.

El chaqué *no permite lucir condecoraciones*, solamente una insignia en el ojal de la solapa, aunque en la actualidad

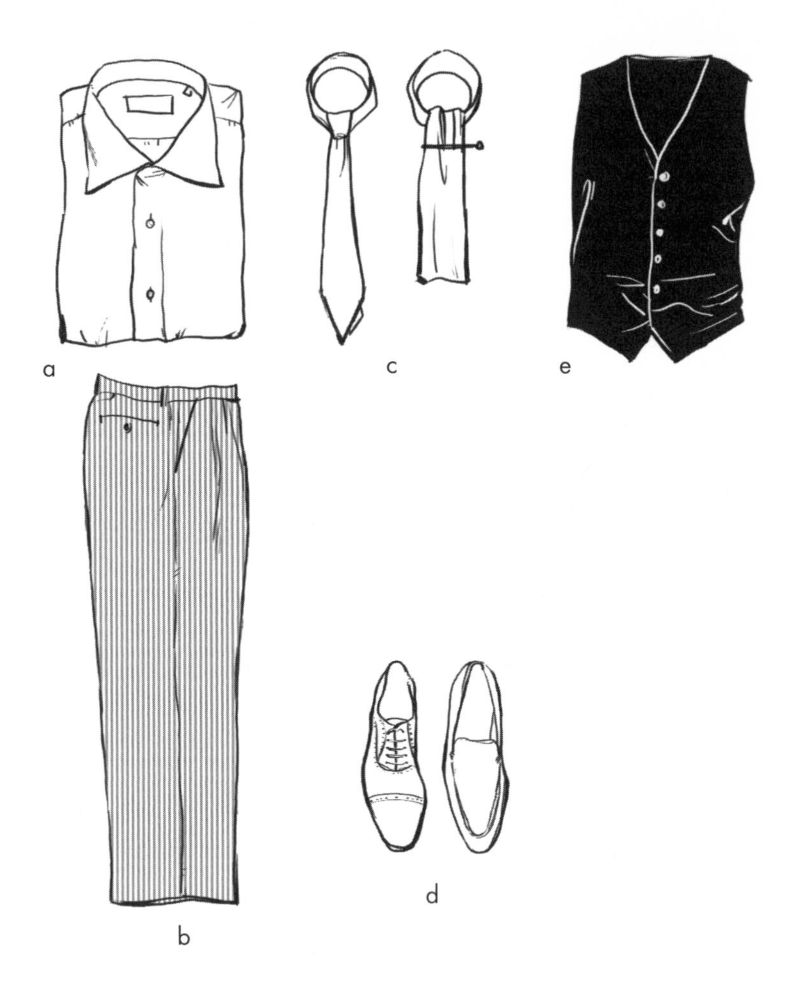

a) Camisa blanca de manga larga de vestir, con empuñadura para gemelos.

b) Pantalón con rayas característica: finas, verticales, grises y negras.

c) Corbata gris plateada o de otro tono, bien de nudo normal o de plastrón con alfiler de cabeza de perla o brillante.

d) Zapatos de piel negros, de cordón o en cualquier caso de empeine liso.

e) Chaleco gris o beige perla, también negro con finos vivos en blanco.

FIGURA 14. *Características del chaqué y complementos.*

f) El sombrero de copa o chistera, característico de este traje, prácticamente no se usa.

g) Levita negra o gris marengo cuya parte delantera es curvada, de forma que termina en faldón.

h) Miniaturas.

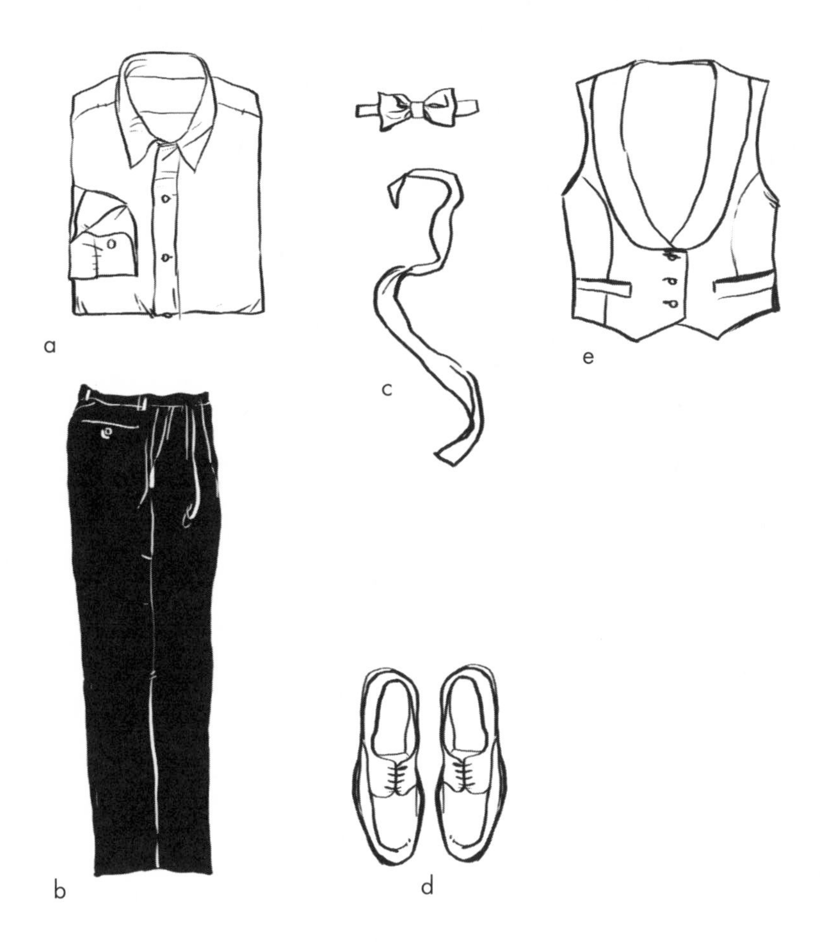

a) Camisa blanca de manga larga de vestir, con pecho y cuello duro de pajarita, y con botonadura y gemelos a juego.

b) Pantalón del mismo color que la levita, con cubrecosturas exteriores, generalmente de seda.

c) Corbata de lazo blanca.

d) Zapatos, serían siempre de cordones, empeine liso, y a poder ser, de charol.

e) Chaleco blanco, normalmente ceñido y de piqué.

FIGURA 15. *Características del frac y complementos.*

f) El sombrero de copa confeccionado en seda o pelo brillante, característico de este traje, prácticamente no se usa.

g) Levita negra, o azul negra cuyo delantero remata en la cintura con un corte recto que origina unas puntas características. Empata con el faldón trasero. Los botones son de adorno.

se está imponiendo el portar alguna miniatura a la altura del mismo ojal.

3. Uniforme: Por razón de su cargo, carrera o profesión, el novio puede casarse de uniforme *(militares, ingenieros, diplomáticos)*. Suelen *admitir condecoraciones*. El uso de los uniformes militares viene claramente regulado en los Reglamentos del Ejército de Tierra, Mar y Aire. Concretamente la legislación (Orden Ministerio de Defensa, 20/1/89, n.º 6/1989, BOD, 24/01/89, n.º 16) recoge con precisión las diversas clases de uniformes de los tres ejércitos, aunque permite bastante libertad para la elección del que se desee lucir en el momento del enlace matrimonial. Señala una modalidad «A», o trajes de invierno, y otra «B», o ropa de verano. En cualquier caso, el lector debe saber que la modalidad «A» es válida para cualquier época del año, si bien la «B» supone una relajación de la norma para mayor comodidad del que lo porta en tiempos de calor. No obstante, no suele ser habitual, salvo en sitios muy cálidos, que un militar se case con la modalidad «B».

En el Ejército de Tierra y en el de Aire se suelen elegir para el «gran día» la *etiqueta,* o la *gala. (Frac.)*

Así, la Orden señala que el *uniforme masculino de etiqueta del Ejército de Tierra* en su modalidad «A» se compone de guerrera azul con tirilla y puños blancos, pantalón azul, zapatos y calcetines negros, guantes blancos, gorra azul y capa negra.

El uniforme de etiqueta del Ejército del Aire en su modalidad «A» está compuesto por chupa azul negro, chaleco blanco, camisa blanca de pechera con cuello vuelto, corbata negra de lazo, pantalón azul negro, zapatos y calcetines negros, guantes blancos, gorra de plato azul negra y capa azul negra.

A diferencia del uniforme masculino del Ejército de Tierra,

que es el mismo para su modalidad de verano, el del Ejército del Aire en su modalidad «B» consiste en una chupa blanca, chaleco blanco, camisa blanca de pechera con cuello vuelto, corbata negra, pantalón azul negro, zapatos y calcetines negros, guantes blancos y gorra de plato azul negra.

El uniforme masculino de gala del Ejército de Tierra lleva guerrera caqui, camisa blanca de manga larga, corbata negra de nudo, pantalón caqui, zapatos y calcetines negros, guantes blancos, gorra de plato caqui o prenda específica de la unidad, ceñidor de gala y capote o gabardina caqui.

El uniforme masculino de gala del Ejército del Aire tiene guerrera gris aviación, camisa blanca de manga larga, corbata negra de nudo, pantalón gris aviación, zapatos y calcetines negros, guantes blancos, gorra de plato gris aviación y gabardina gris aviación. Y el de verano lleva guerrera cerrada blanca con tirilla y palas portadivisas, pantalón blanco, zapatos y calcetines blancos, guantes blancos y gorra de plato gris aviación.

La *Armada*, por su parte, suele utilizar exclusivamente la gala. El traje masculino consiste, en su modalidad «A» o invierno y siempre que se trate de *oficiales generales* y *oficiales*, en levita azul marino, camisa blanca de manga larga y cuello vuelto semirrígido, corbata negra de nudo, pantalón azul marino, cinturón de levita, zapatos y calcetines negros, guantes blancos y gorra de plato blanca.

Los *suboficiales* irán con chaqueta azul marino, camisa blanca de manga larga y cuello vuelto semirrígido, corbata negra de nudo, pantalón azul marino, zapatos y calcetines negros, guantes blancos, gorra de plato blanca, capote ruso o gabardina azul marino.

En verano el uniforme consistirá en marinera blanca con palas portadivisas, camisa blanca de manga larga y cuello blando sin corbata, pantalón blanco, zapatos y calcetines blancos, guantes blancos y gorra de plato blanca.

4. FRAC: El novio sólo deberá escogerlo cuando la boda *se celebre de noche*. Es el *traje de gran gala*. Cuando el novio vaya así vestido, el padrino y los testigos podrán ir engalanados de la misma forma o con uniforme. Este traje *sí permite lucir condecoraciones*. Como complemento podrán llevar guantes de gamuza blanca o gris.

El *smoking no* es apropiado para un enlace matrimonial. Peculiar por sus solapas características de seda brillante, es una prenda propia para otro tipo de fiestas o actos de ocio celebrados en la noche.

Dicho esto sobre las ropas del novio, algunos se preguntarán si es correcto utilizar, en una ceremonia civil, un chaqué o un uniforme (o incluso un frac, aunque raramente se celebra una boda civil por la noche). La respuesta social hasta ahora sería «no». Pero no hay que olvidar que el ceremonial no es algo rígido e inflexible, sino que evoluciona con los tiempos.

El novio y sus invitados varones

La camisa

- Pertenece a finales del siglo XIX la actual forma de esta prenda de caballero, dado que con anterioridad no iba abotonada de arriba abajo, sino que se metía por la cabeza y se consideraba prenda interior. También la forma del cuello, que antes era siempre «de pajarita», dio paso al cuello vuelto bien entretelado y con barillas, hoy el más utilizado, salvo para cuando acompaña al frac en el caso que nos ocupa: la boda.

- En la actualidad, aun cuando los caballeros muestran a menudo la camisa, en la mayoría de los actos sociales, empresariales y oficiales se considera poco protocolario que un caballero se quite su chaqueta sin ser invitado a ello
- La camisa blanca es la de color más riguroso y elegante, dejando las combinaciones de rayas, cuadros u otros colores con blanco para actos más cotidianos.
- La camisa tradicional de caballero no lleva bolsillo; a la altura del tercer botón, en el lado izquierdo del pecho, se pueden bordar las letras iniciales o escudo de quien la luce. Asimismo, la zona de los ojales deberá estar reforzada con tela doble, pero nunca llevará pespuntes a la vista. Si fuera así, le daría un aire deportivo.
- Los botones deben ser de nácar, resistentes y lucidos; y los ojales, a poder ser, cosidos a mano y dispuestos en sentido horizontal para que su cierre sea seguro.
- La empuñadura más elegante es la doble y con cuatro ojales para introducir el gemelo. El puño va pegado a la manga con unos pliegues que dan amplitud y belleza a la camisa.
- Las costuras deben ser cosidas con puntadas menudas (unas 7 por cm) y tipo «inglesa», para evitar que al lavarlas se encojan y se queden fruncidas.
- El novio y/o sus invitados seleccionarán la camisa también en base al cuello. Una cara redonda necesita un cuello con puntas alargadas; una cara alargada, necesita un cuello abierto y con puntas cortas.

- Los cuellos formales nunca llevan botones y pueden ser estilo italiano y estilo inglés, aunque también se observa el denominado americano, menos protocolario.

Cuellos

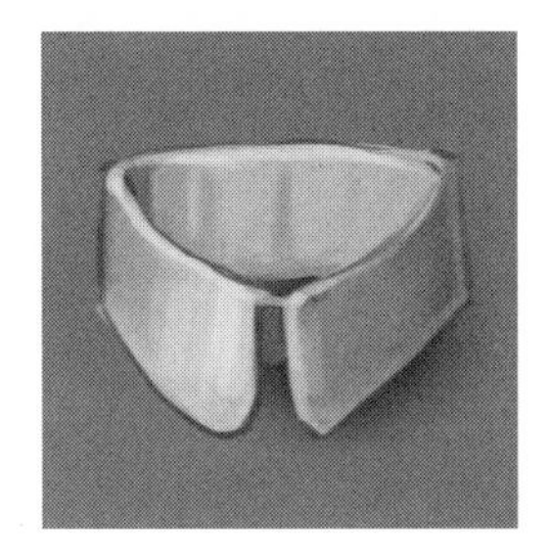

Americano

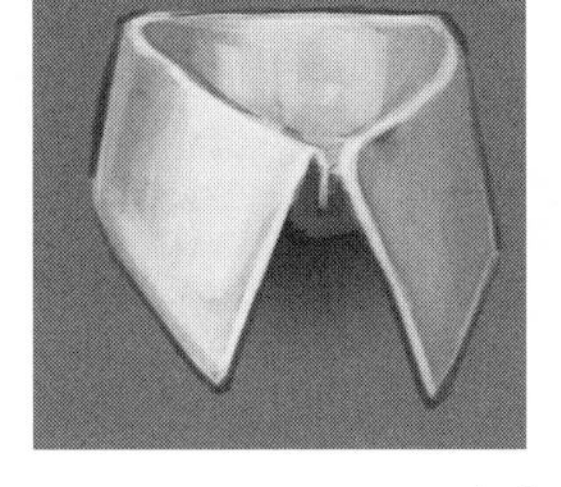

Italiano

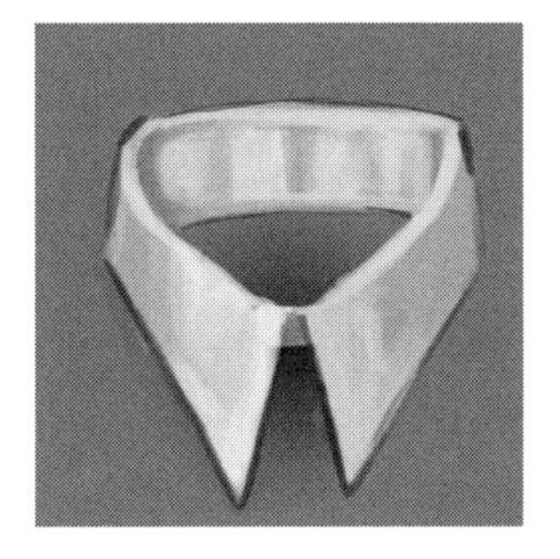

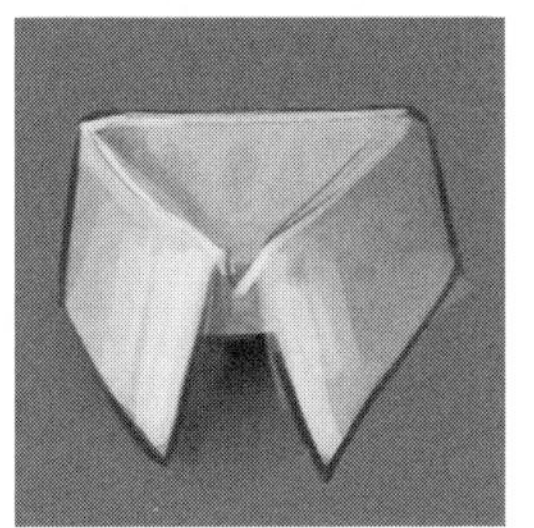

Inglés

Colocación de la camisa combinada con la chaqueta

- El puño de la camisa ha de reposar sobre el inicio de la mano y se cuidará que la camisa luzca entre 1,5-2 cm. Si sobresale menos, ópticamente acorta el brazo.

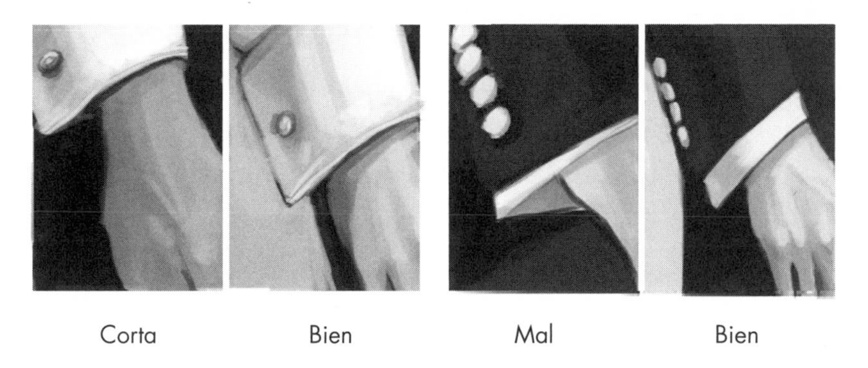

Corta Bien Mal Bien

- La camisa bien colocada se deja ver 1 cm en todo el contorno posterior del cuello.
- Solo las chaquetas con talla inferior a la necesitada por el caballero obligan a lucir todo el cuello, dejando al descubierto una parte importante del delantero de la camisa.

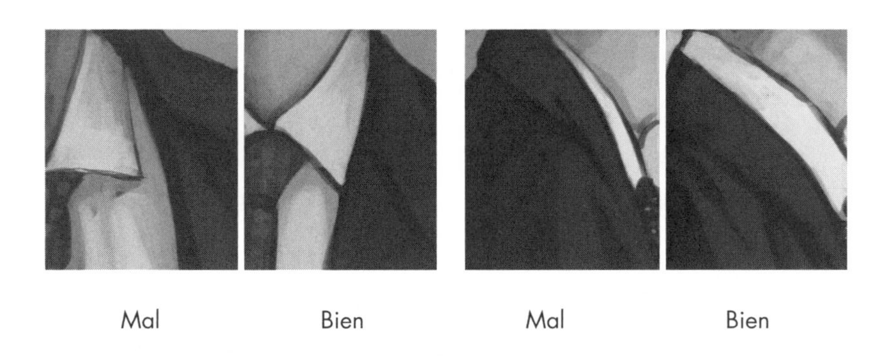

Mal Bien Mal Bien

La camisa y la corbata

- El «pie» del cuello puede ser más o menos alto y debe ser seleccionado dependiendo de la altura del cuello del caballero. Una cara redonda y con cuello natural bajo no debería ponerse una camisa de cuello italiano con pie alto, pues parecería que la cabeza apoyara directamente sobre los hombros.

- Es asimismo necesario seleccionar el ancho de la corbata en coordinación con el tipo de cuello y pie de cuello. Así, una corbata ancha va bien con el pie alto, y una corbata fina con el pie bajo.

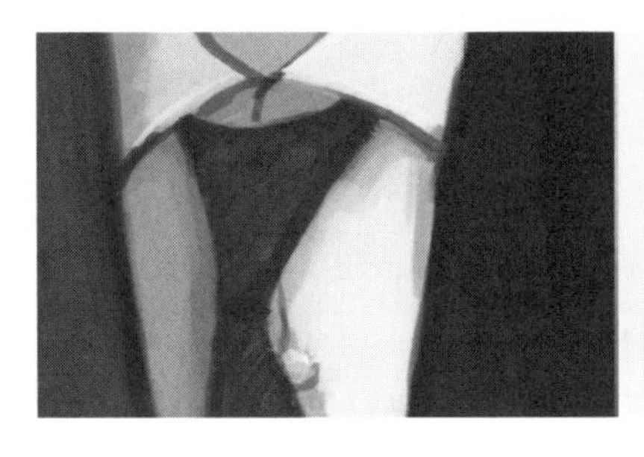
Mal

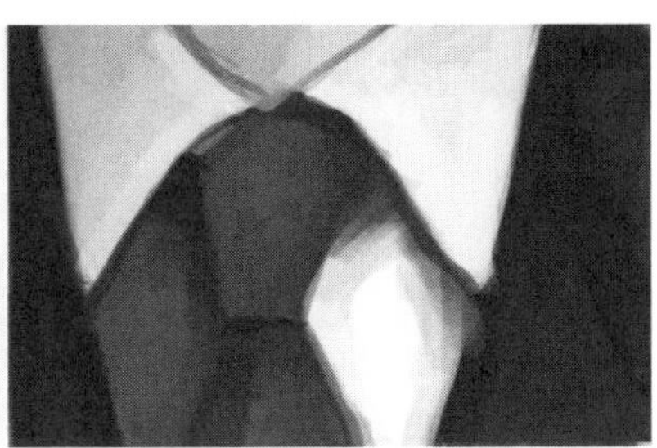
Bien

- El cuello de la camisa ha de quedar suficientemente holgado para que resulte cómodo, pero suficientemente ajustado para que siente bien, él y la corbata. Por ello es imprescindible que el botón superior siempre permanezca cerrado.

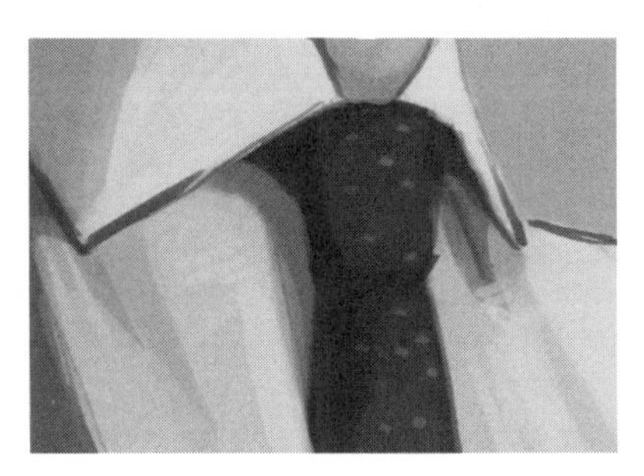
Mal

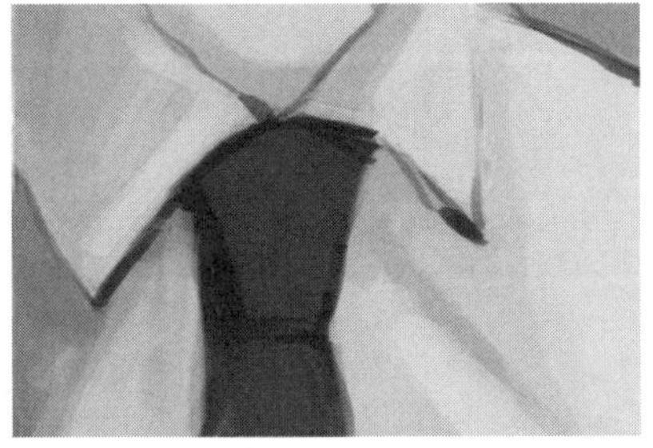
Bien

NUDOS DE CORBATAS

Nudo mariposa:

Nudo Windsor:

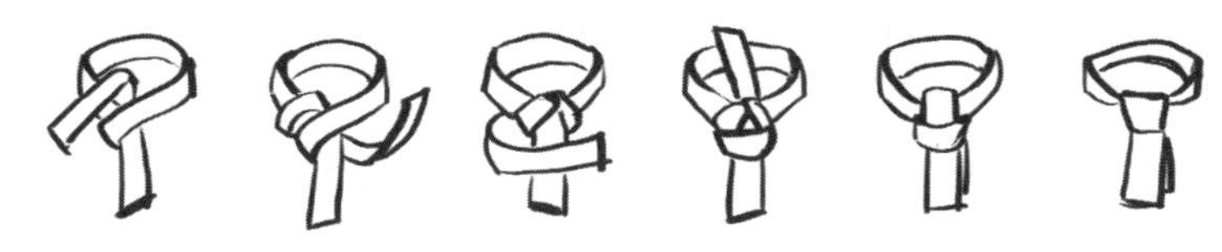

Nudo pequeño:

Nudo medio Windsor:

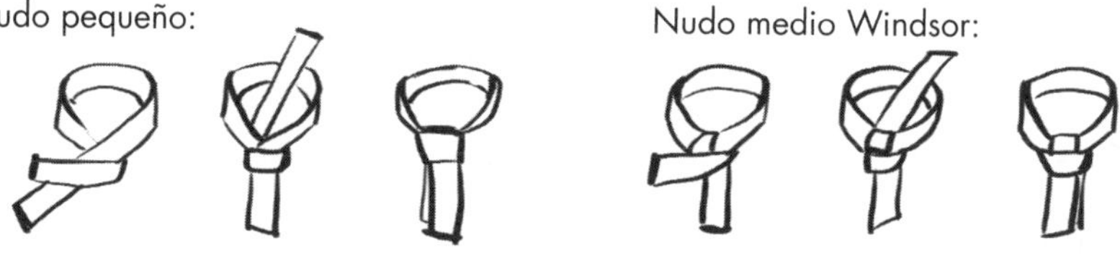

Nudo Ascot:

Pañuelos o fulares para nudos de plastrón

Con el chaqué, el novio o los invitados pueden llevar un pañuelo o fular –reducido con pliegues en la parte posterior y cuadrado o en forma triangular en la parte anterior– para lucir con nudo de plastrón y con un alfiler de cabeza de perla que lo sujete a la camisa.

TRAJES PARA CEREMONIA

Traje de botonadura simple

Traje cruzado:
Siempre dos cortes en la espalda y el pantalón con vuelta abajo

Un tres piezas

Con tejido adecuado a la época del año, en color gris marengo o azul negro, el traje de caballero adquiere su mayor singularidad para acudir a una boda. Si a ello se le añade camisa blanca y pañuelo blanco en el bolsillo superior, la elegancia está garantizada.

Detalles sobre el uso de la chaqueta

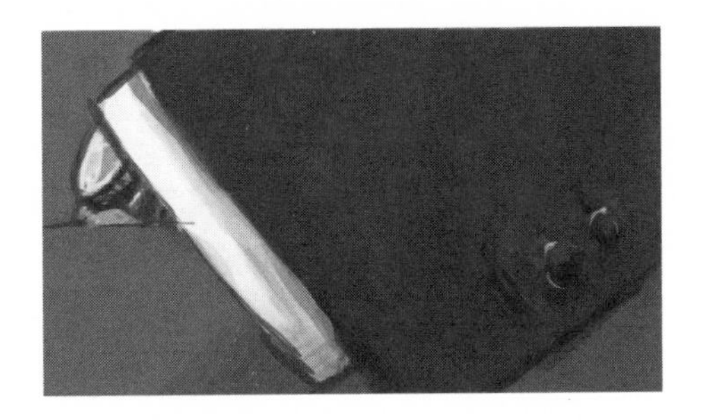

Detalle de traje excelente

- En chaquetas de tres botones, el caballero abrochará el del centro, aunque si sólo tuviese dos cerrará únicamente el superior.
- La chaqueta cruzada permanecerá siempre abotonada en su parte interior y en la superior externa, aun cuando el caballero se siente.
- De llevar chaleco, el último botón irá desabrochado
- Los tirantes nunca estarán a la vista, serán cubiertos por la chaqueta.
- Cuando un traje es de buen corte y confección todos sus ojales serán reales, no falsos, de ahí que esté bien visto que el último ojal de las mangas (el más próximo a la camisa) permanezca desabrochado. Es un detalle de exquisitez en el vestir.

Zapatos

La costura prusiana se caracteriza en que la parte superior y la zona de cordones se encuentra cosida bajo la parte delantera.

- **Modelo Oxford:** Es el zapato más formal. Combina con trajes de etiqueta y de raya diplomática
- **Modelo Legate:** Puede ser válido para los invitados que no vayan sujetos a etiqueta

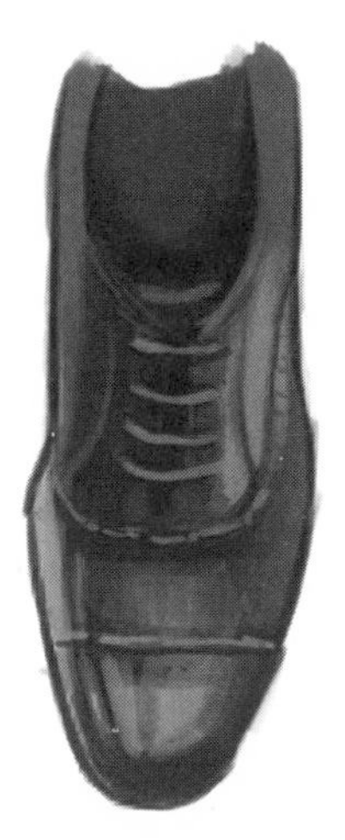

Modelo Oxford

Modelo Legate

La costura inglesa se caracteriza porque la parte superior y la zona de cordones o hebilla se encuentra cosida por encima de la parte delantera.

- Siempre en negro son ideales para las grandes ceremonias.
- Son aconsejables los zapatos con hebilla cuando el pantalón es estrecho.

Blucher

El Burford es menos formal que el Oxford, pero ideal para invitados que no vayan sujetos a etiqueta

Moonskstrap

Guantes y cinturón

- Tanto los guantes como el cinturón harán juego con los zapatos.
- Con el frac los guantes son blancos, a poder ser de piel de cabritilla.

Indumentaria de pajes y damas de honor

Su *atuendo* ha de ser *romántico* y acorde a la época del año. Así, por ejemplo, si la ceremonia es en *invierno,* son propios los *terciopelos* en colores cálidos. Si es en verano, son aconsejables las *organzas o rasos* en tonos suaves. En ningún caso deben faltar los complementos de *florecillas.* Nuevamente hago referencia al estudio histórico del que pueden ser objeto los diversos complementos que se porten con ocasión de bodas ilustres. No sólo en el caso de las florecillas y su significado, sino el de posibles cayados de pastor o bastones, etc., en los cuales se pueden sujetar piezas de lo más variopintas y representativas, tales como frutas de estación, frutos de árboles, medallas religiosas, monedas típicas y un largo etcétera, librados a la imaginación aunque sin apartarse de alguna base histórica.

La indumentaria de la madrina

El vestido de la madrina va, se puede decir, *en consonancia con el atuendo del novio y de la novia.* Por eso, *si el novio ha elegido chaqué,* ella podrá ir con *vestido largo* y complementada con *pamela* (si la ceremonia es al mediodía), *tocado o peineta con mantilla española negra* (la blanca no es apropiada al encontrarse ligada protocolariamente a actos taurinos y folklóricos).

No es prudente que la madrina elija para su vestido el color blanco, ni cualquier otro que ya haya escogido la novia. Ése es el gran día de la novia y hay que respetar su singularidad y distinción. Si el novio lleva *traje oscuro,* es recomendable que el vestido de la madrina sea *corto.*

Indumentaria de los testigos y demás invitados varones

Como ya se ha dicho, la indumentaria de los testigos deberá ajustarse a la prenda elegida por el novio para su enlace matrimonial. El resto de los invitados, en lo que a vestimenta se refiere, se acoplará a lo que establezcan las invitaciones. Por tanto, será correcta cualquiera de estas formas:

a) De *traje oscuro,* si así va el novio, y *siempre con corbata.*
b) De *chaqué* o *de uniforme civil,* si así lo expresa la invitación.
c) De *frac* o *de uniforme,* si la invitación indica «corbata blanca» o «frac o uniforme con condecoraciones».

Si la invitación no determina nada al respecto, los invitados deberán optar por el traje convencional oscuro, siempre con corbata.

Indumentaria de las demás señoras invitadas

Sólo irán *de largo* cuando la invitación indique para los caballeros «corbata blanca» o «frac o uniforme con condecoraciones». De no ser así, se arreglarán para la ocasión de forma muy especial y elegante (sin caer en la exageración, sobre todo si la boda es religiosa), sacando el máximo partido de su aspecto.

Sombreros: pamelas

Se utilizan para ceremonias de mañana y mediodía. Por la noche no son oportunas. En este caso, algún tocado o detalle sobre el cabello es lo perfecto.

¿Cómo se debe colocar un sombrero?

- *De lado*: Sólo si éste es armónico con las líneas del vestido. Da sensación juvenil.
- *Alto* (Sobre la parte superior del pelo). Con ello se consigue elevar ópticamente el cuello. La sensación que transmite es la de un elemento independiente al vestido. En personas altas incrementa sus proporciones.
- *Hacia delante*. Reduce la frente y pondera las facciones. Favorece a las caras planas y a frentes despejadas.
- *Hacia atrás*. Agranda las proporciones de la cara y frente. Es ideal para caras pequeñas y jóvenes, dado que transmite un carácter desenfadado.

¿Cómo debe ser el sombrero: grande o pequeño?

- *Grande* para mujeres altas con cabeza proporcionada
- *Pequeño* para mujeres menudas cuyas caras sean de facciones irregulares y sus cabezas no ofrezcan grandes dimensiones.

Los sombreros en consonancia con las formas de la mujer

1. Según sus hombros

Mujer de hombros estrechos: le conviene un sombrero de ala estrecha, que sea de copa baja o de imitación a un turbante.

Mujer de hombros anchos: está perfecta con un sombrero de ala muy ancha y copa alta.

Mujer de hombros redondeados: le van los sombreros de copa intermedia, poca ala y línea ascendente.

2. Según su cara

Mujer con cara alargada: equilibra sus facciones con sombreros de copa maleable y con ala mediana y suavemente caída.

Mujer con cara cuadrada: dulcifica su rostro con un sombrero con forma desigual y líneas diagonales.

Mujer de cara redonda: logra el óvalo perfecto con un sombrero con ala irregular y con vuelta hacia arriba en la zona frontal.

Mujer de cara triangular o pera (frente reducida): se ve favorecida con el sombrero pequeño y poco encajado.

Mujer de cara triangular invertida (frente ancha y saliente). Lo ideal es el sombrero que va muy encajado y con ala grande.

3.- Según sus facciones

Mujer con facciones anchas: Los sombreros que le van son los semi-inclinados, con adornos en la parte superior y, de ala ascendente.

Mujer con facciones grandes: Son válidos los sombreros de cualquier tamaño pero con apenas adornos.

Mujer con facciones muy pequeñas: le son inexcusables los sombreros reducidos con adornos delicados, tipo casquetes.

Mujer con facciones angulares: el sombrero que más le favorecerá será de ala mediana y ligeramente lánguido.

4.- Según sus dimensiones

Mujer delgada: A este tipo de mujer le encaja el sombrero de tamaño intermedio, de copa baja, con líneas irregulares y ala caída.

Mujer rellena: Lucirá elegante con un sombrero de tamaño intermedio, de copa alta, con ala irregular y lateral ascendente.

5.- Según la nariz

Mujer con nariz respingona: deberá elegir un sombrero cuya ala se contraponga a la línea ascendente de su nariz.

Mujer con nariz grande: Disimulará su prominencia con un sombrero cuya ala, en la parte delantera, sea más amplia, y sobre ella pondrá adornos abundantes para provocar un foco de atención nuevo.

Los guantes

Aunque antes ya se haya comentado algo sobre los guantes y la novia, es oportuno conocer una serie de normas, respecto a estos complementos que ayudan a potenciar la belleza y elgancia de quien decide utilizarlos.

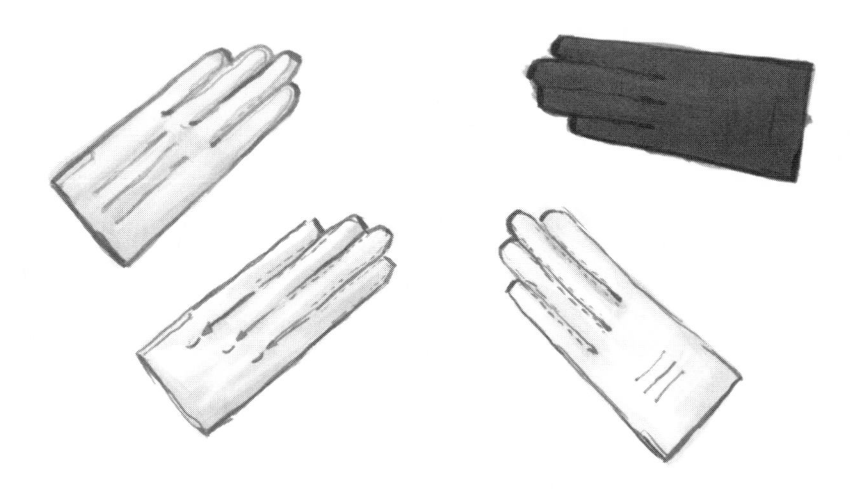

- El guante blanco aumenta la proporción de la mano,
- El guante negro la reduce.
- Cuando la mano es corta, las espigas del dorso del guante deberán ser muy largas para rectificar su apariencia reducida. Si la mano es muy alargada, las espigas largas aumentan más su efecto excesivo, que puede ser modificado por espigas cortas o líneas transicionales.
- La textura del guante debe estar relacionada con el vestido. De piel cuando va con abrigos, de telas suaves o transparentes cuando va con rasos o sedas
- Cuando la manga del vestido es francesa (también llamada 3/4) el guante será hasta el codo.
- Con mangas cortitas, los guantes serán cortitos.
- Cuando el vestido es sin mangas o con escote «palabra de honor» han de ser bien altos.

El maquillaje

El maquillaje, de origen remoto, es utilizado para embellecer o resaltar facciones. No hay que olvidar que, aunque en el mundo actual la mujer es la que más se maquilla, desde siempre los hombres lo han hecho con muchos fines, como camuflarse, resaltar su masculinidad o incluso como gesto de heroico.

La elegancia es sinónimo de discreción, y el maquillaje también ha de ser discreto para potenciar lo mejor de la mujer. Un maquillaje bien aplicado realza sus facciones más bonitas.

En cualquier caso, el maquillaje es fruto de la personalidad de la mujer, y el día de su boda la novia no debe mostrarse distinta a lo que habitualmente es.

Se suele decir que los colores a utilizar deben de ser suaves y no estridentes ni llamativos. No obstante, si una novia habitualmente se pinta con colores intensos, y todo el mundo la espera así, ¿por qué ha de cambiar el día de su boda?

Antes de iniciar un maquillaje ha de saberse que el *rostro* perfecto es el denominado ovalado, pues todas sus formas son armónicas.

Existen otros rostros como el redondo, cuadrado, diamante, triangular, triangular invertido y alargado, todos ellos con encanto, pero a la hora de maquillar es necesario corregirlos teniendo como referencia el rostro ovalado. De ahí que en ocasiones se deba oscurecer el perfil de la cara (cara redonda) o aclararlo (cara alargada).

La nariz será modificada con corrector oscuro, por ejemplo si tiene unas aletas anchas, en cuyo caso éstas se oscurecen. Si por el contrario es una nariz excesivamente pequeña, habrá que corregirla cubriéndola por completo con un maquillaje corrector muy claro.

La boca puede tener distintas formas:

- Labios gruesos: colores oscuros
- Labios finos: colores claros y brillantes
- Boca pequeña: se hace preciso perfilarla en su totalidad
- Boca grande: el perfilado se interrumpe antes de llegar a la comisura de los labios

Los ojos se maquillan según su forma.

- Si son saltones: Se oscurecerá el párpado superior y se aclarará ligeramente la zona cercana a la ceja
- Si son caídos: Se trazan líneas ascendentes que contrarresten su posición natural. Los colores se colocarán de más oscuro a más claro empezando por el párpado. No obstante, da un toque de alegría al ojo si en el centro del párpado se aplica un color blanco o muy claro.
- Si están muy juntos: Se aplicarán tonos blancos en la zona próxima a la nariz para dar sensación de luz y de separación; y se aplicarán el resto de los colores más oscuros a partir de la mitad del ojo hacia fuera.
- Si están muy separados: Se hará a la inversa del ejemplo anterior

La sonrisa. El cuidado de los dientes

El principal factor para tener una sonrisa bonita son los dientes. La falta de un diente, el color oscurecido o el deterioro de alguno de ellos es motivo para ver en algún álbum de fotos a un novio o una novia apretando los labios o tapándose la boca en un momento divertido. Para evitarlo debe acudirse al dentista con cierta antelación o, en el caso del blanqueamiento del marfil, aplicar algún producto especial adquirido a esos efectos en la farmacia.

No hay nada más bonito que ver, cuando todo ha pasado, unas fotos en la que los ya esposos posan y actúan desinhibidos, sin traumas ni rubores, en cualquier momento.

Alianzas o anillos..., ¡toda una historia!

Los anillos o alianzas son una de esas costumbres significativas establecidas y mantenidas generación tras generación. Casi tres mil años antes de Cristo ya existía el intercambio de anillos en la civilizacón egipcia. El anillo era un aro y como tal una figura sin principio ni fin; es decir, era lo más semejante a la unión que se supone imperecedera de un hombre y una mujer.

Sin embargo, fue en Grecia (siglo III a. C.) donde se popularizó el uso del anillo nupcial colocado en el cuarto dedo de la mano izquierda, puesto que se creía que una vena denominada «del amor» se comunicaba directamente desde este dedo hasta el corazón. Después los romanos, y más tarde los cristianos, mantuvieron viva esta tradición.

Actualmente, y en nuestro país, los novios suelen utilizar la *alianza lisa* (normalmente de oro) más o menos gruesa, con el *nombre* y la *fecha* del enlace grabado. El de la novia suele llevar, además de las *iniciales* de su futuro *esposo,* alguna *dedicatoria,* etc. Su *colocación* depende de la tradición del lugar, pudiendo situarse en el anular de la mano derecha o en el anular de la mano izquierda.

En algunos países europeos el novio primero pone el anillo a la novia y luego se los coloca él mismo. En otros sitios el anillo sólo se pone a la novia.

Las arras de la ceremonia religiosa

En ciertos puntos geográficos de nuestro país todavía se conserva el simbolismo de las arras. En aquellos en los que de forma habitual no se practica, si los novios lo desean pueden solicitarlo. Son *trece monedas*, de oro, plata o alpaca, que el novio da a la novia, tras la imposición de las alianzas, para hacer expresiva la intervención providencial de Dios en el matrimonio y la concesión de abundantes bienes que deberán compartir. Antiguamente representaban tres cosas: los bienes que los esposos iban a compartir durante el matrimonio, el premio que el novio le concedía a la novia por su virginidad y la compensación en caso de viudedad.

La ofrenda a la novia de la cantidad de trece monedas la impusieron los merovingios, y esa cifra se sigue manteniendo en la actualidad.

El transporte de novios e invitados: colocación protocolaria en el interior del vehículo

Salvo por razones de orden estricto o de seguridad, si fuese el caso, los invitados podrán llegar al lugar de la celebración en sus propios vehículos.

Lo mismo harán los novios, que para ese día especial habrán elegido un coche distinguido (de motor o carruaje). El protocolo en el vehículo sitúa como asiento preferente, cuando se lleva chófer, el de detrás a la derecha, por lo que, tanto la novia como el novio, cuando se dirijan hacia el lugar de la celebración acompañados de sus padrinos o testigos, ocuparán dicho lugar. Convertidos en marido y mujer,

a) Disposición de los novios camino de la ceremonia

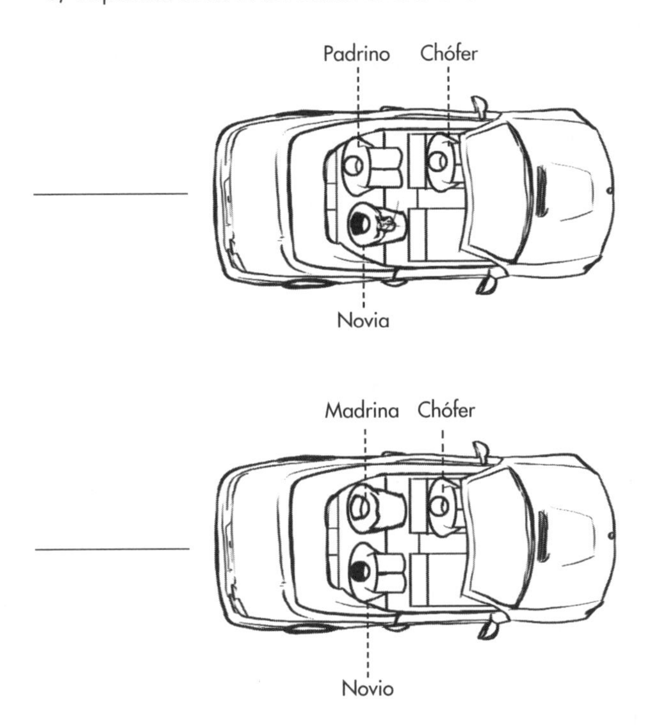

b) Regreso del nuevo matrimonio

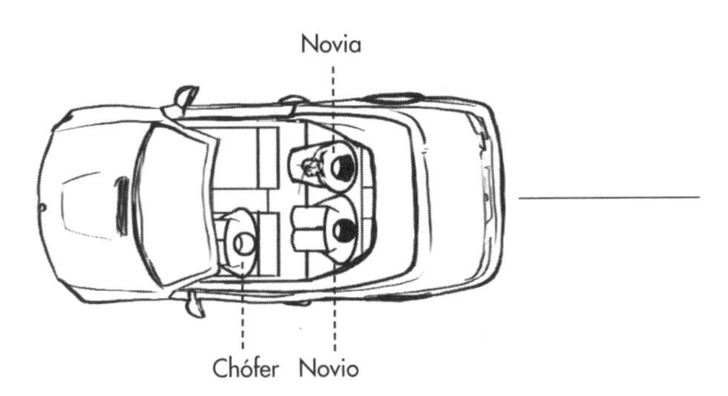

FIGURA 16. *El transporte de novios e invitados: colocación protocolaria en el interior del vehículo.*

ella ocupará la derecha y él la izquierda de dicho asiento trasero. El asiento derecho delantero deberá ir vacío.

El chófer será el encargado de abrir, en primer lugar, la puerta trasera derecha del coche, bordeando el vehículo por detrás, nunca por delante.

Los pajecillos o pequeñas doncellas ocuparán otro coche.

El adorno floral de los coches debe ser discreto y en tonos pálidos, predominando total o parcialmente el blanco. Es muy importante dejar este punto claro con la floristería, pues en ocasiones dan rienda suelta a su espíritu artístico o «de negocio», creando auténticas exageraciones.

El transporte de los invitados no se computará como un gasto para los organizadores del acontecimiento si la mayoría de los invitados vive en la misma población que los novios; sin embargo, si se encuentran en otro país o en una población lejana (por ejemplo, si uno de los novios es extranjero o de otra provincia), *deberan pagarse* los billetes correspondientes o se fletará un medio de transporte, a los únicos efectos de acercar a la ceremonia a esos invitados. Si éstos, necesariamente, deben viajar el *día anterior* a la boda, se les alojará adecuadamente y se *celebrará* una *cena formal.* Claro está que depende del presupuesto de la boda.

Los arreglos florales para el lugar de la celebración

Las flores siempre han engalanado y embellecido los lugares donde se colocan, además de traslucir un significado, por lo cual no se debe prescindir de ellas. El equilibrio está en un término medio: ni exceso ni defecto de flores. Más adelante, en el desarrollo de la boda civil, señalo que en juzgados o ayuntamientos deben cuidarse y mantenerse los adornos de la sala donde ésta se celebre, sobre todo los de la mesa, con un motivo bajo y alargado, pero todavía existe mucha austeridad al respecto.

En la boda religiosa es toda una tradición poner un centro o cesta floral al Santísimo, andas a la Virgen (a los pies) y algún ramo al santo de devoción.

La creatividad en lo floral ha llevado también a colocar flores en los asientos de la asamblea o incluso a confeccionar un arco de verde y flor para la puerta de entrada. En cualquier caso, debe predominar el acierto en la disposición y el buen gusto de los organizadores.

Fotógrafos y reporteros

Es recomendable hacer las primeras fotografías el día de la prueba general, normalmente una semana antes del día de la boda (vestido, peinado, maquillaje, complementos...).

No hay que olvidar que el fotógrafo detrás del objetivo capta mucho más que cualquier persona a simple vista.

La fotografía representa la intención de tener vivo el momento disfrutado, captando el estado de ánimo y las emociones, los lugares y las cosas. De ahí su importancia. Pero no sería la primera vez que unas fotos de boda se perdiesen. Es por eso aconsejable la participación en la ceremonia de *dos profesionales*. Debe proponérseles con antelación que la víspera del enlace, si no conocen el espacio destinado para el acto del juzgado o ayuntamiento, o cuando la iglesia ya esté arreglada, inspeccionen su lugar de trabajo, atendiendo a las posibles luces, vidrieras, espejos o colores para que su labor sea perfecta. Sus servicios deberían contratarse al menos con cincuenta días de antelación.

La fotografía de bodas ha variado su estilo a lo largo de la historia. Hasta 1910 las parejas de novios pudientes acudían a un estudio fotográfico, donde se les inmortalizaba con expresión contenida, recatada, sin espontaneidad, pero con postura elegante, sobre un escenario con cortinaje de fondo o un telón que lucía algún paisaje divisable desde una barandilla o ventana. Una silla y algo sobre qué apoyar flores era requisito indispensable para fotografiarse, primero ella y después él, y luego ambos juntos.

Hacia 1920 las fotografías empezaron a salir del estudio para, además del posado clásico de la pareja dentro de sus paredes –él de pie, en actitud protectora y ella sentada–, perpetuar el recuerdo del gran acontecimiento dentro de la casa de la novia con sus familiares.

Rozando 1940 y ya en los años 50, el posado de los novios se fue convirtiendo en más natural a pesar del clasicismo; y el número de fotografías y escenas aumenta. Era la hora de las fotos con neblina y más focalizadas que lograban una imagen más romántica; además, se inmortalizaban los momentos del evento, incluso en movimiento, como la llegada de los novios a la iglesia, la salida del templo... Se inició, entonces, lo que hoy llamamos reportaje fotográfico, debido a la evolución y ligereza de los equipos fotográficos.

En 1960 la imagen clásica y dulce de la novia perpetuada en los estudios, volvió a seducir. Las fotografías ya podían ser retocadas.

Hoy en día no se concibe una boda sin reportaje fotográfico y vídeo digital.

En cualquier caso, el fin último de la fotografía de bodas, antes y ahora, es perpetuar y recordar el día señalado, captar aquellos momentos íntimos y privados para hacerlos públicos y ser comentados y recordados a lo largo del tiempo con nostalgia: «recuerdos tristes de un pasado alegre».

Regalos y «detalles»

Los regalos y «detalles» deberán enviarse al domicilio que figura en la invitación.

La *lista de bodas* se considera actualmente algo práctico y usual, a lo que ya nos hemos mentalizado, y ofrece comodidad tanto al que hace el regalo –porque le evita quebraderos de cabeza– como al que lo recibe, pues llegado el caso, puede cambiarlo.

Sin embargo, no olvidemos que en las listas de boda se esconden regalos diferentes; de esta forma, en ocasiones, aunque el invitado elige un determinado obsequio que se encuentra en la lista establecida, los novios, de acuerdo con el establecimiento, pueden sustituirlo por otro o parte del mismo. Así, es frecuente observar que detrás del regalo de una lámpara se encuentre medio televisor. Sabremos asumirlo con naturalidad ya que, al fin y al cabo, es lo que negociaron los novios con el comerciante.

En algunos pueblos de España todavía se sigue la tradición de acondicionar una de las habitaciones de la casa para colocar los regalos que se van recibiendo, con el fin de mostrarlos a los invitados. Es una costumbre que está cayendo en desuso y que en las ciudades ya no se suele practicar.

Despedida de solteros

Podría decirse que hay dos tipos de despedida de solteros:

- Aquella más privada, en la que los dos novios están con sus amigos durante el día y remata con una cena formal y de etiqueta la víspera del enlace a la que también asisten padres y familiares.
- Y la más común: una fiesta dicharachera que *debería realizarse una semana antes* de la boda. No es recomendable que sea la víspera, pues de ser así el día del acontecimiento, el o la contrayente seguramente estarán agotados. Tendrá lugar entre los *verdaderos amigos* de ambos y por separado o juntos. Es el fin de la etapa de soltería antes de comenzar la nueva vida de casados, que presupone afrontarla con madurez, confianza y responsabilidad.

  Suele ser una fiesta especial, con sorpresas para todos los que participan en ella, y aunque tradicionalmente se trataba de una juerga masculina, hoy las chicas también lo celebran.

  Consiste, normalmente, en una fiesta privada con cena, espectáculo, algún show simpático y atrevido, participación de la tuna (sobre todo en la fiesta de la novia), incluso con mimos, karaoke, baile, etc., que alegra el día del adiós definitivo a la soltería. En la actualidad también existen lugares que, además de ocuparse de los canapés, la decoración de la instalación, la música y de los paquetitos sorpresa con golosinas, ofrecen, además pedicura, manicura y otros tratamientos de belleza para disfrutar de ese último momento entre las amigas. También el sexo masculino puede asimismo contratar este tipo de diversión.

En la actualidad también existen lugares que ocupándose de los canapés, la decoración del local, la música y los regalos sorpresa con golosinas, ofrecen, además, pedicura, manicura y otros tratamientos de belleza para disfrutar de ese último momento entre las/os amigas/os.

La organización de la fiesta corresponde al novio o a la novia, salvo las sorpresas, que serán de la responsabilidad del amigo, –o amiga, según el caso– que tenga más ingenio.

Nota de prensa

A ciertos niveles se hace un anuncio a los medios de comunicación social. Por lógica, será gratuita si las familias contrayentes son conocidas, por la expectación que tal circunstancia genera, en beneficio de la publicación. En cambio, deberá pagarse por unos contrayentes desconocidos, pero tampoco es demasiado costoso. Basta con dirigirse a la *mesa de redacción de un periódico* y ellos se encargan de todo. También se publicará la noticia, aunque los novios no lo quieran, si alguno de ellos trabaja en un medio de comunicación.

Aplazamientos de bodas

Asimismo puede ocurrir que por causa de alguna enfermedad o fallecimiento de alguno de los padres, abuelos o hermanos se haga necesario suspender la ceremonia. En estas circunstancias debe comunicarse a todos los invitados a través de una nota, que podría decir así:

A causa del fallecimiento de D. José Barros, con gran dolor, queda suspendido el enlace matrimonial de su hija María con Rodrigo López, que iba a tener lugar el 11 de abril de 2010.

En el momento que se decida una nueva fecha para la boda se volverán a redactar e imprimir otras invitaciones.

Si se decide un pequeño aplazamiento porque las causas no son tan graves, se debería enviar una nota a todos los invitados con los cambios producidos. Por ejemplo:

Los Sres. de Barros lamentan comunicar que debido a la repentina enfermedad de su madre paterna, se ven obligados a posponer la boda de su hija, prevista para el 11 de abril, al domingo 1 de mayo de 2010 a las 12 horas.

Cancelación de la boda

Si los novios deciden anular la boda, lo correcto es comunicarlo cuanto antes a sus invitados, bien por escrito, o si no hay tiempo, por teléfono, fax, o telegrama.

Una fórmula rigurosa sería la siguiente:

José Barros Martínez y María Iglesias Ruiz lamentan comunicar que el enlace matrimonial entre su hija María y Rodrigo López previsto para el 11 de abril ya no se celebrará.

En esta circunstancia, el novio y la novia devolverán los regalos recibidos lo antes posible.

IV

La boda y sus modalidades

A la hora de casarse, dependiendo de la situación, creencias religiosas y las convicciones personales, los novios pueden decantarse por distintos tipos de celebraciones.

Boda civil: juzgado o ayuntamiento

La boda puede celebrarse en el *Juzgado* o en el *Ayuntamiento*. Se deja a criterio de los novios, pues a veces tienen preferencias por alguno de los edificios o les conviene uno u otro, a tenor del día que le han asignado o cualquier otra razón.

Todos los *trámites* deben hacerse en el *Registro civil.*

Son *gratuitos* y muy fáciles de realizar.

Una vez cumplidos todos los requisitos, la pareja podrá casarse en cualquier juzgado (en la *Sala de Audiencias* o

Sala de Matrimonios) o ayuntamiento (en el *Salón de Sesiones*), según B.O.E. 34, del 10 de febrero de 1995.

Documentación y trámites necesarios

1. Rellenar la *solicitud* allí facilitada a estos efectos (figura 17) .
2. Presentar declaración jurada o afirmación solemne de estado civil (figura 18).
3. Presentar *Certificado literal de nacimiento* actualizado de cada novio.
4. *Certificado de residencia* expedido por el Ayuntamiento en el que hayan residido durante los dos últimos años (certificado de empadronamiento). En las grandes ciudades también se puede solicitar en las respectivas alcaldías de distrito.
5. Fotocopias del documento de identidad de cada contrayente (D.N.I., pasaporte).
6. Si uno de los solicitantes (o ambos) fuera *divorciado* o un matrimonio anterior haya sido anulado, deberá aportar el *Certificado literal del matrimonio anterior* con la correspondiente anotación marginal de divorcio o nulidad. Las sentencias de divorcio dictadas fuera de España necesitan la convalidación de las mismas (Sala 1.ª del Tribunal Supremo).
7. De ser *viudo* uno de los solicitantes, aportará el certificado de su anterior matrimonio y el de defunción del cónyuge.
8. Si uno de los novios es *extranjero,* aportará certificado de inscripción consular, domicilio, tiempo de residencia en España y lugar de procedencia del mismo.

SR. JUEZ ENCARGADO DEL REGISTRO DE MADRID

Los abajo firmantes, conforme dispone el artículo 240 del Reglamento del Registro Civil de 14 de noviembre de 1958, para contraer matrimonio civil formulan la siguiente declaración:

1 Datos del contrayente

Nombre y apellidos ....
Nacido en .... el día .... de .... de ....
de estado civil ....
de nacionalidad ...., vecino de....................
y domiciliado en la ....
provisto de .... N.º ...., expedido en .... el....................
hijo de .... y de ....
vecinos de....................
y domiciliados en la....................

2 Datos de la contrayente

Nombre y apellidos ....
Nacida en .... el día .... de .... de ....
de estado civil ....
de nacionalidad ...., vecina de ....
y domiciliada en la ....
provista de .... N.º ...., expedido en .... el....................
hija de .... y de ....
vecinos de....................
y domiciliados en la....................

3 Que anteriormente al matrimonio pretenden....................
....

4 Que no existe entre ellos impedimento legal alguno para la celebración del matrimonio pretendido.

5 Que durante los dos últimos años, los domicilios de los solicitantes han sido....................
....

6 Que eligen para la celebración del matrimonio el registro civil de ....
conforme lo dispuesto en el artículo 241 del citado Reglamento del Registro civil, se acompañan los siguientes documentos:

a) Certificaciones literales de sus nacimientos, expedidos por el Registro Civil correspondiente.
b) Declaración jurada o afimación solemne de estado civil.
c) Certificación de empadronamiento o residencia de los mismos durante los dos últimos años.
d) Fotocopias del documento identificador.

SOLICITAMOS que habiendo presentado este escrito y documentos que se acompañan, se digne a admitirlos, ordenar instruir al oportuno expediente y, previa práctica de los trámites reglamentarios, dictat resolución autorizando la celebración del matrimonio

Madrid.................... de.................... de....................

FIGURA 17. *Impreso oficial de la declaración de datos de los futuros contrayentes.*

D. ....
provisto de documento identificador número ...., del cual resulta ser mayor de edad,
de estado civil.................., hij ..... de... y de ....,
nacid .... en .... el día .... de .... de...............
de nacionalidad .... con residencia o vecindad en...................................
y domiciliad ... en la calle o plaza...

DECLARA BAJO JURAMENTO O AFIRMA SOLEMNEMENTE que al presente su estado civil es el de
....

ASIMISMO hace constar que durante los dos últimos años, ha residido en ....

Afirmación que efectúa a todos los efectos legales y conocedor de las responsabilidades de orden civil y penal que la misma conlleva, para contraer matrimonio.

Lo manifiesta usando de la facultad reconocida por la circular de la Dirección General de los registros y del notario de 16 de noviembre de 1984, dictada en aplicación del artículo 363 del Reglamento de la Ley del Registro Civil.

En Madrid, a............... de...................................... de mil novecientos noventa y ....

FIGURA 18. *Impreso oficial de declaración jurada sobre su estado civil.*

Además deberá acreditar si la legislación de su país exige la publicación de edictos al contraer matrimonio civil en España (caso de Italia, por ejemplo).

En otros casos, deberán aportar certificado de capacidad matrimonial.

9. Si alguno de los contrayentes fuese *asilado, refugiado político* o *solicitante de asilo* o *refugio,* deberá aportar el certificado de la D.G.P. (Dirección General de Policía), del A.C.N.U.R. (Alto Comisionado de las Naciones Unidas para los Refugiados), de la Cruz Roja Española o de otro organismo competente, con todos los datos personales acreditativos de su condición.

10. Si los contrayentes son *menores de edad,* entre 14 y 16 años, deberán aportar una *dispensa,* tramitada en el mismo Registro Civil. Lo mismo si el futuro matrimonio ha de ser entre un tío/a y un sobrino/a.

11. A los *jóvenes de 16 hasta 18 años* les bastará con un permiso de los padres, aportando una solicitud del certificado literal de nacimiento con la inscripción marginal de libre emancipación.

Una vez preparada y cumplimentada toda la documentación, los *contrayentes* acudirán al Registro Civil para la *entrega de los papeles.*

La solicitud para que se instruya el correspondiente expediente está en marcha. Comienza la actuación del fiscal y del juez, que se encargan de *verificar* los datos utilizando los instrumentos legales oportunos, *edictos* o citación de *dos testigos* (familiares o amigos y mayores de edad, que pueden ser otras personas distintas de las que asistirán el día de la boda) y de *dictar* resoluciones autorizando la celebración del matrimonio, respectivamente. Desde el momento de la entrega de toda la documentación, hasta la fecha de celebración de la boda, no hay un plazo mínimo establecido, pero sí el máximo de un año que marca la caducidad del trámite.

En poblaciones grandes, casarse en el Registro Civil en las fechas más codiciadas para bodas (los jueves y viernes de abril a octubre), supone hacer los trámites con muchísima antelación. Con el fin de paliar dicha situación, se ha permitido celebrar matrimonios a los alcaldes, que pueden delegar en concejales (B.O.E. 35, del 10 de febrero de 1995).

Desarrollo

La *ceremonia* es muy sencilla y dura unos diez minutos. Ahora bien, la duración depende del celebrante. Me arriesgaría a decir que los alcaldes o concejales, como políticos que son, amenizan más el acto y consiguen prolongarlo. Por su parte los jueces, aunque más rápidos, embellecen la actuación con su característico atuendo.

El acceso a la sala o salón, en algunos casos, sobre todo en grandes ciudades, es muy poco lucido, porque se aglutinan novios, testigos e invitados, sin orden alguno, a la llamada megafónica de los sucesivos contrayentes. Aunque ya se ha avanzado en esta materia, yo me atrevería a sugerir a aquellos profesionales que lean estas líneas, que sería dignificante para ellos y para la institución del matrimonio arropar este acto con detalles tan sencillos como una alfombra roja, que conduzca a los miembros de una boda desde la puerta de entrada hasta la sala de ceremonias, o adornar con algunas flores este itinerario (incluso de acuerdo con los propios novios); velar por que el salón o sala tengan un buen aspecto (colgar algún tapiz o cuadro); disponer de bolígrafos o plumas estilográficas elegantes para las firmas; que los sillones que ocupen los novios destaquen de los del resto de los invitados; y que se escuche una música que dé «calor y vida» al momento. Todas las ceremonias de esta índole que he podido observar se caracterizan por elegir como testigos a un hombre y una mujer (a modo de padrinos del ceremonial religioso) y por entrar hasta el lugar del acto, la novia del brazo del testigo y a su derecha; y el novio del brazo de la testigo y a su izquierda. Basándome en esto y atestiguando el arraigue que tienen en nuestro país las tradiciones derivadas del rito católico, señalaría que, aunque no hay una norma que establezca rígidamente la colocación de los novios y testigos, lo correcto en estos casos (y siguiendo la tradición protocolaria de ubicación de los novios, que tiene su origen en la autodefensa del novio desenvainando el sable con su mano derecha), sería, mirando hacia el celebrante y de izquierda a derecha: *testigo mujer, novia, novio, testigo hombre.*

Efectuada la colocación, serán presentados los documentos identificativos de los novios y testigos. Éste es un detalle en el que hay que hacer hincapié, pues muchas veces, como consecuencia de los nervios propios del día, se olvidan de ellos y la ceremonia tiene que suspenderse.

Comienza, generalmente, con la *lectura en voz alta,* por parte del *secretario,* de los datos de las partes contrayentes y de los testigos (en el Registro Civil se suele leer el Acta Matrimonial), dando paso (poniéndose todos en pie) a la intervención del *juez* o del *alcalde* –o concejal–, quien se dirige a los contrayentes: el juez con el recordatorio del *art. 58 del Código Civil,* que establece la potestad de éste para declararlos marido y mujer, el alcalde o concejal con el del *art. 14 de la Constitución,* relativa a la igualdad de los cónyuges ante la ley, así como el *art. 34* que reconoce el derecho a fundar –en este caso– una familia.

Continúan mencionando, ambos, los artículos claves del matrimonio, el *66, 67* y *68 del Código Civil* concernientes a la igualdad en derechos y deberes de las partes, a respetarse, ayudarse y actuar en interés de la familia, y a vivir juntos, guardarse fidelidad y socorrerse mutuamente.

Tras ello, los novios declaran su voluntad de casarse al contestar afirmativamente a las preguntas de «¿Acepta libremente tomar a... como legítima/o esposa/o?» o «¿Consiente en contraer matrimonio con...?» y «¿Efectivamente lo contrae en este acto?»

El concejal o alcalde los declara marido y mujer «en nombre del Rey y por las facultades que me otorga la Constitución y los textos legales».

El juez del Registro Civil lo hace en virtud de «los derechos que me otorgan las leyes españolas».

Si se quiere, se pueden intercambiar los anillos, aunque no es obligatorio.

La ceremonia concluye con *la firma de los nuevos esposos, testigos y del que celebra,* y la entrega: a) por parte del alcalde –o concejal– de la fotocopia del *Acta Matrimonial* (para unos días después recoger en el Registro Civil el Libro de Familia), o b) por parte del juez, del Libro de Familia.

Boda religiosa católica: documentación y trámites

La ceremonia por el rito católico es la más difundida y la que mayor tradición tiene en nuestro país. Para casarse por esta modalidad se deben seguir los siguientes *pasos:*

1. Cumplimentar los dos novios en sus respectivas parroquias un *expediente* adjuntando:

- CERTIFICACIÓN DE PARTIDA DE BAUTISMO, o «Fe de bautismo» (con que uno de ellos esté bautizado es suficiente). Este documento se obtiene en las parroquias donde fueron bautizados. No es requisito excluyente la presentación del de la confirmación, sino opcional (figura 19).
- Los respectivos DOCUMENTOS NACIONALES DE IDENTIDAD.
- Los respectivos LIBROS DE FAMILIA O PARTIDAS DE NACIMIENTO.
- TESTIGOS DE SOLTERÍA, si así lo exige el párroco. Suele aconsejarse que no sean familiares.
- PERMISO PATERNO en caso de que alguno de los contrayentes fuera menor. Si el varón tuviese menos de 16 años y la mujer menos de 14 se exige la comparecencia de un tutor.

2. Publicación de las *amonestaciones:* con lo cual se da a conocer al público feligrés el enlace matrimonial que se va a celebrar, mencionando los *nombres de los novios y de sus respectivos padres,* por si hubiese algún impedimento para que ese enlace no pudiera ser llevado a cabo.

Puede hacerse *oralmente* ante la congregación, o *por escrito* (hoy es lo más usual) en el tablón de anuncios de las respectivas parroquias.

CERTIFICACIÓN DE PARTIDA DE BAUTISMO

Parroquia ______________

Población ______________

Diócesis ______________

Provincia ______________

Libro ______________
Folio ______________
Tomo ______________

Notas marginales

____

Don ______________

encargado del Archivo Parroquial de ______________

Diócesis de ______________

CERTIFICA: que según consta en el acta reseñada al margen, correspondiente al libro de bautismos,
D. ______________
fue bautizado el día __ de ________ de ________
en la calle ______________ N.º ________
siendo natural de ______________
Diócesis de ______________
provincia de ______________

Padres: D. ______________
y de D.ª ______________
natural de ______________

Abuelos paternos: D. ______________
y de D.ª ______________
natural de ______________

Abuelos paternos: D. ______________
y de D.ª ______________
natural de ______________

Padrinos: ______________

Ministro: ______________
________, a ____ de ________ de ________

(Firma del Encargado del Archivo)
(Sello)

(Para otras Diócesis)

Obispado de: ______________
Vº Bº
El Vicario General

FIGURA 19. *Impreso de certificación de partida de Bautismo.*

Suelen publicarse *dos semanas y cuatro días* antes de la boda (normalmente los dos domingos anteriores al enlace). Las amonestaciones o avisos públicos fueron invención del emperador Carlomagno en el año 800 para evitar los riesgos de matrimonios consanguíneos en su amplio imperio. Obligó a que, al menos siete días antes de la bodas se exhibiesen en las puertas de las iglesias. La idea se extendió más tarde al resto de Europa.

3. Presencia de *dos testigos,* como mínimo uno por cada contrayente, que firmarán el acta matrimonial el día de la boda.

4. Si los novios deciden celebrar el enlace en una *parroquia distinta* de las suyas, han de pedir un *traslado de expediente.*

La Iglesia católica realiza en sus respectivas parroquias cursillos y charlas de orientación familiar y prematrimonial. Suele ser habitual organizar dos cursillos al año: uno, tocando la temporada de invierno y otro la de verano. Ahora bien, en la medida de lo posible, intenta ajustarse a la conveniencia de los novios.

El ceremonial de una boda está sometido a varios aspectos y circunstancias, por lo que no se puede hablar de uniformidad. Así, cuentan las preferencias de los contrayentes y en muchos casos de su familia, el lugar donde hayan decidido celebrarlo, las costumbres de cada lugar...

Como primer dato habrá que hacer hincapié en la *puntualidad del acto.* El novio debe llegar al templo con *tres o cinco minutos de antelación,* para que la novia no corra el riesgo de sentirse «plantada» ante el altar.

Hay tradiciones que con el objeto de evitar esta posible situación, establecen que en el momento que sale el novio de su casa hacia la iglesia, su mejor amigo o hermano soltero lleva a la novia el ramo, para comunicarle que él ya le está esperando.

Sin embargo, hoy, cuando la tecnología nos permite hablar desde cualquier esquina, parece que estos hábitos se conservan más por costumbre que por utilidad.

Protocolo de la Cruz

El «protocolo de la Cruz» es el utilizado para colocar a los invitados dentro de la iglesa/catedral. Así, cuanto más cercano al ábside está el invitado, tanto más relevante será.

El presbiterio, que suele tener un nivel superior al resto del templo y al cual se sube por un número impar de peldaños, es la zona sagrada desde donde se oficia la ceremonia y lugar exclusivo para los oficiantes. Ahora bien, en algunos casos (por ejemplo, una boda real) se permite la permanencia en el mismo de los contrayentes y familia más cercana, pero siempre en un nivel inferior a la mesa y altar.

Desarrollo de la ceremonia

1. *Acceso al interior del templo.*

Podemos hablar de *cinco opciones* que se pueden complementar entre ellas:

OPCIÓN I:

Cuando los asistentes se encuentran en el atrio de la iglesia se forma la *comitiva* siguiendo *este orden:*

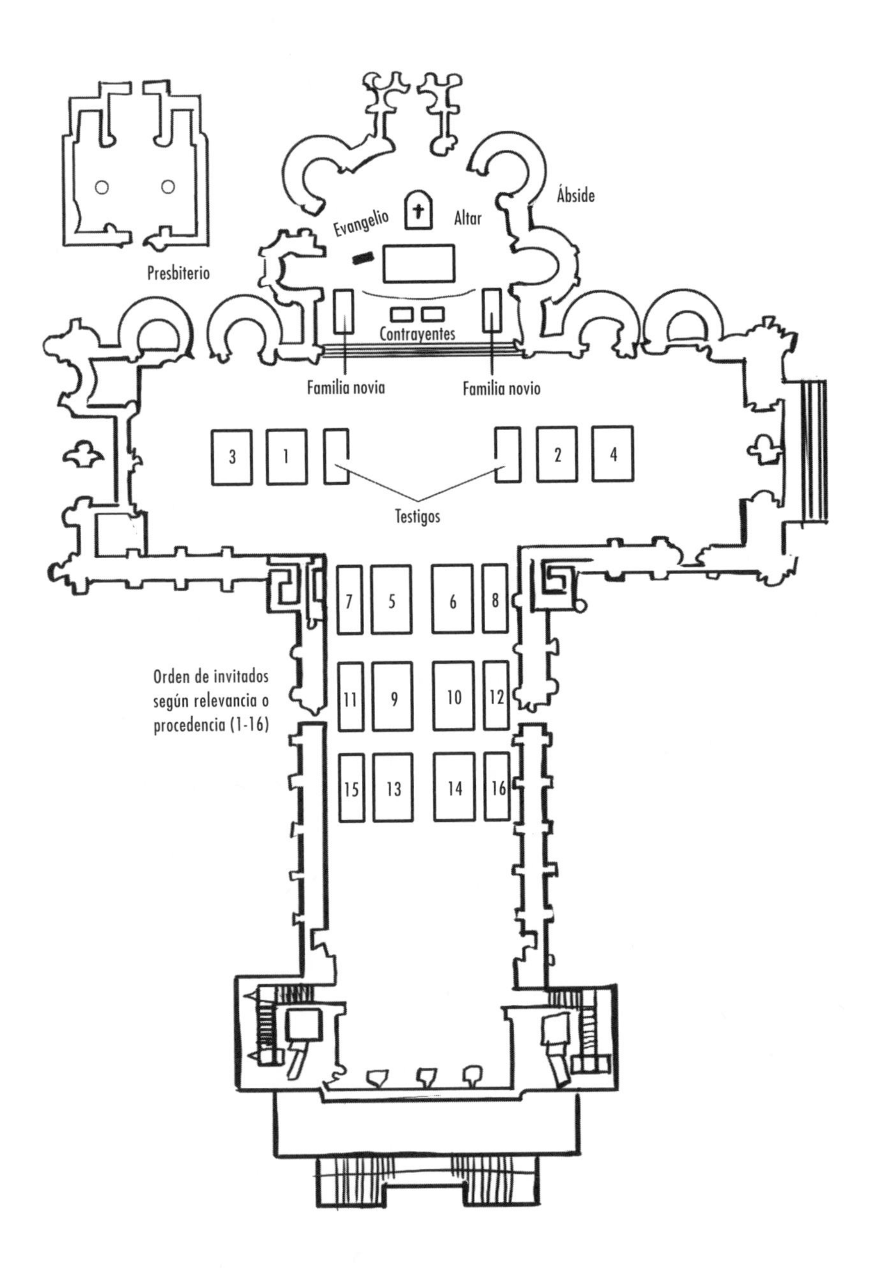

FIGURA 20. *Protocolo de la Cruz.*

a) Novia y padrino (es él quien suele llevar las alianzas).
b) Pajes y damas de honor por orden de estatura (en ocasiones los pajes pueden ir antes de la novia y el padrino).
c) Novio y madrina.
d) Padre del novio y madre de la novia.
e) Testigos.
f) Demás familiares en parejas, sean casados o solteros.

En alguna provincia a los solteros o libres de compromiso se les asigna una pareja, también soltera o igualmente libre de compromiso, a la cual deberán recoger y acompañar durante el resto del día. Aunque hay disparidad de criterios entre los diferentes autores, lo normal es que las mujeres ocupen en la comitiva la derecha y los hombres la izquierda.

OPCIÓN II:

Es mucho más acogedor que los invitados, guiados por el *«maestro de ceremonias»* o algún ayudante, esperen dentro de la iglesia. Y para los remolones que gustan de quedarse en el atrio hasta la llegada de la novia, la expresión «a la novia le encantaría que la esperaseis dentro» surte muy buenos efectos.

La familia del novio ocupará los bancos de la derecha, y la familia de la novia los de la izquierda, reservándose en ambos casos los primeros puestos para los familiares más allegados. Los testigos se colocarán en lugar preferente, así como el padre del novio y la madre de la novia, suponiendo que sus cónyuges sean los padrinos. En el supuesto de que la iglesia tenga sólo una hilera de bancos, es factible pasar un cordón grueso mediando los asientos para demarcar claramente el sitio de los invitados del novio y de la novia. Aquí, los manojos o ramilletes de flores desempeñan un gran papel. En este segundo caso, el *novio y la madrina* accederán al templo antes de que lo haga la novia y el padrino, y se situarán a la *derecha del altar* (mirando hacia el mismo), ella a la izquierda y él a la derecha. Cuando la novia entre en el templo, éstos se volverán. La *novia entrará del brazo de su padre o padrino* y caminará ocupando la *derecha* hasta llegar al lugar del novio, donde será entregada por el padrino a éste. *Tras ella,* vienen los *pajes y damas de honor* (hay autores que defienden que una novia, vestida de blanco o marfil, debe entrar precedida de los pajes, pero lo cierto es que hay disparidad de opiniones y de hechos, ya que se han visto las dos fórmulas en ceremonias muy protocolarias).

Ya en el altar, y mirando hacia éste, se colocarán *madrina, novia, novio y padrino,* de izquierda a derecha. En el supuesto de una ceremonia de infantes, príncipes o reyes, los novios estarán solos ante el altar. Los padrinos se colocarán separados: ella a la derecha y él a la izquierda del altar, en un lugar preferente.

OPCIÓN III:

En el supuesto de que el padre de la novia se sienta impedido o haya fallecido y sea deseo de su madre entregar a su hija, se seguirán los mismos pasos que en el anterior caso, aunque la entrada en el templo hasta el primer banco de la fila, donde se encontrará la madre o padre impedido, la hará la novia del brazo de algún íntimo o pariente cercano (tío, hermano...). En ese punto, el acompañante masculino ocupa un puesto en el banco delantero izquierdo y cede a la novia para ser entregada por su madre o padre al novio.

OPCIÓN IV:

El *celebrante* sale al encuentro de los novios *a la puerta* y entra con ellos en la iglesia, precediéndolos (se mantiene de igual manera la comitiva señalada en el primer punto).

OPCIÓN V:

El *celebrante* sale a iniciar la celebración *cuando todos los asistentes están situados dentro de la iglesia.*

2. *Partes del acto religioso: sin misa o con misa.*

Este acto puede celebrarse sin misa o participando de la Misa. Sus partes son:

CON MISA	SIN MISA
1. Entrada, saludo y ritos iniciales. 2. Liturgia de la Palabra. 3. Homilía. 4. Celebración del matrimonio: • Interrogatorio o escrutinio. • Consentimiento. • Imposición de los anillos y entrega de las arras. 5. Oración de los fieles.	1. Entrada, saludo y ritos iniciales. 2. Liturgia de la Palabra. 3. Homilía. 4. Celebración del matrimonio: • Interrogatorio o escrutinio. • Consentimiento. • Imposición de los anillos y entrega de las arras. 5. Oración de los fieles.

6. Preparación de las ofrendas: a) Presentación de las Hostias u Ofertorio. b) Oración sobre las ofrendas. c) Prefacio. d) Canto del Santo. 7. Plegaria eucarística. 8. Rito de la Comunión: a) Padrenuestro. b) Bendición sobre la esposa y esposo. c) Signo de paz. d) Canto del Cordero de Dios (*Agnus Dei*). e) Comunión. f) Oración después de la Comunión. 9. Bendición final y despedida.	6. Bendición de los esposos. 7. Padrenuestro. 8. Bendición final y despedida.

3. *Rito de entrada; solución a los cantos.*

El *canto de entrada* tiene siempre la función de unir a la asamblea en el momento de comenzar la celebración.

Si el sacerdote sale a recibir a los novios a la puerta de la iglesia, se canta mientras entran. Si no, se hará a la vez que el sacerdote sale al altar.

En muchos lugares, sin embargo, se acostumbra a tocar la marcha nupcial de Mendelssohn en el solemne momento de la entrada, que ha de concluir cuando todos estén ya ocupando sus sitios, para iniciar inmediatamente después (mientras sale o se coloca el sacerdote frante al altar) algún canto en el que participe toda la asamblea, del estilo de «Juntos como hermanos»; «Danos un corazón»; «Vienen con alegría»; «Qué alegría cuando me dijeron».

Después tiene lugar el *saludo a los novios* y a los allí presentes, que puede consistir únicamente en la señal de la cruz y unas palabras de acogida, o en: a) *la señal de la cruz;* b) *una de las fórmulas litúrgicas de saludo,* y c) *unas palabras amables de acogida* o *introducción.*

También cabe la posibilidad, y esto dará más emoción a la ceremonia, que, en vez del celebrante, sean los propios novios quienes saluden brevemente a la asamblea, expresando el valor que para ellos tiene lo que allí se celebra, y más aún comunitariamente. O también pueden leer algún texto que resulte significativo para ellos.

Ejemplo:

a) ***Señal de la Cruz.***

b) ***Saludo:*** *María y Rodrigo, bienvenidos aquí a la Iglesia para celebrar vuestra boda. Y bienvenidos también a todos los que les acompañáis. La gracia de nuestro Señor Jesucristo, el amor del Padre y la comunión del Espíritu Santo esté con todos vosotros.*

c) ***Introducción:*** *Estamos aquí reunidos porque María y Rodrigo se aman y quieren casarse. Quieren que su amor empiece una etapa nueva y se convierta en una unión firme y fuerte para toda la vida.*

Esta fiesta es como una señal, como una llamada para todos. Para ellos dos, porque el paso que hoy realizan gozosamente es un paso decisivo para su vida y lo recordarán siempre, y este recuerdo les invitará constantemente a crecer en su amor. También para los demás, los que les acompañamos, esta fiesta es una señal que nos invita a aprender cada día de nuevo a amar, a vivir la alegría del amor.

Y estamos aquí, celebrando esta fiesta en la Iglesia, porque Dios también está presente en su amor. Y lo está como Jesucristo estuvo presente en las bodas de Caná. ¡Que la celebración esté llena de alegría!.

Este rito de entrada termina con la oración colecta:

Oración inicial o colecta: Oremos (pausa). *Señor, Dios nuestro, que al crear a la humanidad estableciste la unión del hombre y la mujer; une en la fidelidad del amor a estos hijos tuyos que celebran su boda para que amándose cada vez más, den testimonio de tu amor. Por Jesucristo...*

4. *Liturgia de la Palabra: elección de las lecturas por parte de los novios.*

Hay un amplio repertorio de lecturas relacionadas con el matrimonio, su sentido y significado.

Los novios podrán escoger aquellas que consideren oportunas, incluido el Evangelio, de acuerdo con el sacerdote.

Puede leerse una, dos o tres lecturas, pero lo mejor será leer tres:

- *Primera: Antiguo Testamento* (por ejemplo, Génesis 1, 26-28.31.a, o Génesis 2, 18-24, o Tobías, 8, 5-10); tras esta primera lectura, como momento de reflexión se recita un salmo (Sal. 102, 1-2.8 y 13.17-18.a o Sal. 144, 8-9.10 y 15.17-18), alternado con el canto de una corta antífona por parte de la congregación, o puede sustituirse el salmo por unos momentos de silencio con música de fondo o algo semejante.
- *Segunda: Cartas apostólicas* (por ejemplo, 1 Co 12, 31-13, 8.a o Ef 5, 2.a 21-33 o Rom 12, 1-2.9-18).

Después de esta lectura y antes del Evangelio se entona el «Aleluya».

- *Tercera: Evangelio* (Mt 22, 35-40 o Mc 10, 6-9 o Jn 2, 1-11 o Jn 15, 9-12). Siempre debe hacerse una pausa importante entre cada lectura.

Cabe la posibilidad de leer algún texto no bíblico antes de iniciar las lecturas, pero ha de aclararse su procedencia («Nos gustaría, antes de escuchar la Palabra de Dios, leer un texto de...»).

Resultaría muy entrañable que fuesen personas muy queridas las que preparasen y leyesen claramente las lecturas.

5. *La Homilía.*

Es la aclaración que hace el celebrante sobre el Evangelio leído.

6. *Celebración o liturgia del matrimonio.*

Se inicia poniéndose todos en pie, y continúa con los siguientes pasos:

a) La Monición o introducción al rito del matrimonio, donde el celebrante se dirige a los futuros esposos para recordarles que «Cristo va a bendecir su amor y darles fuerza para el cumplimiento de la misión de casados».
b) El Interrogatorio o escrutinio de los novios, en el que el sacerdote les pregunta si han decidido contraer matrimonio de forma libre y con la voluntad común de guardarse fidelidad.

—Queridos María y Rodrigo. Habéis venido para que el Señor consagre vuestro amor, ante la comunidad aquí reunida, ante la Iglesia. Jesucristo bendice hoy con toda su fuerza vuestro amor; Él es el primer testigo del compromiso que deseáis contraer. Él por el Bautismo os hizo miembros de la familia de Dios. Ahora, por el sacramento del matrimonio, os fortalecerá y os acompará a lo largo de toda vuestra vida. Por eso, ante todo, contestad a estas preguntas:

»María y Rodrigo, ¿venís a casaros con entera libertad?

—Sí, venimos.

—¿Os comprometéis a quereros y guardaros fidelidad durante toda la vida?

— Sí.

—¿Estáis dispuestos a recibir con amor a los hijos que tengáis, y a educarlos en la fe de Cristo?

—Sí.

c) EL CONSENTIMIENTO. VARIAS FÓRMULAS. Punto clave del acto, en el que los contrayentes, cogidos de la mano, expresan su compromiso mutuo de amor y fidelidad perpetuos.

Hay varias fórmulas para el consentimient; dos de ellas serían las siguientes:

A) ***Sacerdote:*** *Así pues, ya que queréis contraer santo matrimonio, unid vuestras manos y manifestad vuestro consentimiento ante Dios y ante la Iglesia.*

Novio: *Yo, Rodrigo, te quiero a ti, María, como esposa y me entrego a ti, prometo serte fiel en las alegrías y en las penas, en la salud y en la enfermedad, todos los días de mi vida.*

Novia: *(lo mismo, dirigiéndose al novio).*

B) ***Sacerdote:*** *Rodrigo, ¿quieres recibir a María como esposa y prometes serle fiel en las alegrías y en las penas, en la salud y en la enfermedad y así amarla y respetarla todos los días de tu vida?*

Esposo: *Sí, quiero.*

Sacerdote: (ídem, dirigiéndose a la esposa).

Esposa: *Sí, quiero.*

Sacerdote: *El Señor que hizo nacer en vosotros el amor, confirme este consentimiento mutuo que habéis manifestado ante la Iglesia. Lo que Dios ha unido, que no lo separe el hombre.*

d) LA IMPOSICIÓN DE LOS ANILLOS Y LA ENTREGA DE LAS ARRAS. CÁNTICOS ADECUADOS. RETIRADA DEL VELO. Antes de la imposición de los anillos suele entonarse un canto breve y gozoso de acción de gracias: *La aclamación.* Por ejemplo: «Bendito seas Señor, de todo corazón» o «Te damos gracias, Señor...»

La imposición de los anillos es el sello del consentimiento que ya han manifestado los novios. Generalmente suele ponerlo primero el novio a la novia y luego ésta al novio. Pero surgirá la excepción, cuando la novia tenga rango de reina, princesa o infanta y superior al novio, en cuyo caso ella será quien ponga primero la alianza al novio (los anillos puede sostenerlos el padrino, algún testigo o un pajecillo).

Sacerdote: *El Señor bendiga estos anillos que vais a entregaros uno al otro en señal de amor y de fidelidad.*

Novio: *María, recibe esta alianza en señal de mi amor y fidelidad.*

Novia: *Rodrigo, recibe esta alianza en señal de mi amor y fidelidad.*

La entrega de las arras simboliza la función providencial de Dios en el matrimonio. En muchos lugares no se practica de forma habitual, pero si es deseo de los novios pueden solicitarlo. Primero, el celebrante toma de la bandeja las arras y las pone en manos del novio, quien las traspasará a la novia y ésta las depositará en la bandeja.

Sacerdote: *Bendice Señor estas arras que pone Rodrigo en manos de María y derrama sobre ellos la abundancia de tus bienes.*
Novio: *María, recibe estas arras como prenda de la bendición de Dios y signo de los bienes que vamos a compartir.*

A partir de este momento, *si la novia llevara un* ***velo*** *cubriendo la cara podrá* ***retirarlo*** *sola o con ayuda de su ya marido.*

7. *Oración de los fieles.*

Llegada la ceremonia, la oración de los fieles consiste en pedir *por los novios,* pero también por los familiares, difuntos, necesitados del mundo y por la Iglesia.

Celebrante: *Pidamos hoy especialmente por los nuevos esposos, María y Rodrigo, para que Dios los llene de gracia y amor en el camino que han de recorrer juntos, roguemos al Señor.*
Respuesta: *Escúchanos, Señor.*
Celebrante: *Por todas las familias del mundo, especialmente por las que padecen dificultades diarias para conseguir lo más esencial, roguemos al Señor.*

Respuesta: *Escúchanos, señor.*

Celebrante: *Por los hombres y mujeres de todo el mundo, que en ellos se reavive la generosidad, el amor y la paz, roguemos al Señor.*

Respuesta: Escúchanos, Señor...

8. Preparación de las ofrendas (si la celebración es dentro de la misa). Participación de los novios. Partes. Canto del Santo. La liturgia de la Eucaristía tiene, esencialmente, las mismas connotaciones que las celebraciones ordinarias. Los novios podrán colaborar en la preparación del pan y del vino y de los demás elementos que se emplearán en la celebración. Se compone de:

a) Presentación de las ofrendas u ofertorio:

Celebrante: *Bendito seas, Señor, Dios del universo, por este pan, fruto de la tierra y del trabajo del hombre, que recibimos de tu generosidad y que ahora te presentamos...*

b) Oración sobre las ofrendas:

Celebrante: *Recibe en tu bondad, Señor, los dones que te presentamos con alegría y guarda con amor de padre a quienes has unido en alianza sacramental. Por Jesucristo...*

c) Prefacio:

Celebrante: *El Señor esté con vosotros...» Asamblea: «Y con tu espíritu...*

Celebrante: *Levantemos el corazón...*

Asamblea: *Lo tenemos levantado hacia el Señor...*

d) *Canto del Santo:* resulta armonioso que este canto tenga *musicalidad* y no se limite a la simple lectura de su letra.

9. *Plegaria Eucarística. Cántico de aclamación.*
Poniéndose todos de rodillas, se inicia el *momento más solemne* de la celebración.

Santo eres en verdad, Señor, y con razón te alaban todas tus criaturas... Tomad y comed todo de él... Tomad y bebed todos de él... Haced esto en conmemoración mía.

Ahora el celebrante deberá haber un *cántico de aclamación* para continuar con la plegaria:

Así pues, Padre, al celebrar ahora el memorial de la pasión salvadora de tu Hijo... [Doxología]: Por Cristo con Él y en Él, a ti Dios Padre omnipotente, en la unidad del Espíritu Santo, todo honor y toda gloria por los siglos de los siglos. Amén.

10. *Rito de la Comunión. Partes. Cantos.*
Puestos ya todos en pie, el celebrante continúa con:

a) *El Padrenuestro.*
b) *Bendición sobre la esposa y el esposo:*

Hermanos, roguemos al Señor que derrame su bendición sobre esta hija suya, en la que el sacramento del matrimonio alcanza particular significación porque ella es la tierra fecunda... Vean ambos los hijos de sus hijos y después de una feliz ancianidad, lleguen a la vida de los bienaventurados en el Reino Celestial. Por Jesucristo nuestro...

c) *Signo de Paz.*
d) *Canto del Cordero de Dios (Agnus Dei).*
e) *Comunión.* Este momento deberá realzarse en *música de fondo, coral o cánticos,* que dará a la situación el recogimiento que merece. Los *novios* podrán comulgar con las *dos especies,* comiendo el pan y bebiendo del cáliz, como signo de participación en el cuerpo y la sangre de Cristo.
f) *Oración después de la comunión:*

Después de participar en tu mesa, Señor, te pedimos por María y Rodrigo, que hoy se han unido en santo matrimonio, para que te sean siempre fieles y sean testigos de tu amor. Por Jesucristo...
Señor Jesús, hemos participado de tu mesa y tú nos has alimentado con el pan de vida. Por la fuerza de este sacramento, haz que Rodrigo y María se amen cada día más y que a lo largo de su vida sean testigos de tu amor. Tú que vives y reinas por...

11. Bendición final y despedida. Canto.
En este rito final tiene lugar la *bendición («Y a todos vosotros que estáis aquí presentes os bendiga Dios todopoderoso. Padre, Hijo y Espíritu Santo»),* la *firma del acta matrimonial* que rubricarán novios, padres, padrinos y testigos *(durante la cual la asamblea se sienta)* y la *despedida* («Podéis ir en paz. Demos gracias a Dios»), seguida por la *aclamación final* que pudiera ser «el Coro nupcial» de la ópera *Lohengrin* de Richard Wagner.

12. Salida del templo: organización de la comitiva.
La salida del templo se debe hacer formando la siguiente *comitiva:*

1.º *Novios* (ella a la derecha de él).

2.º *Pajecillos, damas de honor, y/o encargadas de cuidar el traje de la novia.*

3.º *Padrinos* (la madrina a la derecha).

4.º *Madre de la novia con padre del novio.*

5.º *Resto de los invitados* (lo lógico es que salgan emparejados como han entrado).

Es típico que, al *salir los novios del templo,* sus amistades les arrojen arroz, pétalos de flores o incluso algunas legumbres secas. Se trata de un rito histórico que se ha extendido hasta nuestros días y que, en esencia, tiene el significado de fertilidad y abundante descendencia. Normalmente los novios, con el fin de llegar los últimos a la comida, aprovechan el tiempo, mientras los invitados se acercan al lugar del banquete, para hacerse las fotos familiares y/o entregar el ramo de flores a algún ser querido presente o desaparecido.

Las velaciones matrimoniales

Aunque en la actualidad es un rito en desuso, las velaciones matrimoniales datan de la Edad Media, momento en el que el compromiso del enlace se formalizaba en dos momentos:

1º Matrimonio por palabras de futuro

2º Matrimonio por palabras de presente

El primero se identifica con lo que hoy es el noviazgo formalizado, es decir, desde la petición de mano con imposición de anillos hasta el momento del enlace propiamente dicho. En este acto cada novio adquiría derecho sobre el otro, pero su particularidad era que se llevaba a cabo en el pórtico de la iglesia, lugar donde ambas partes se comprometían bajo juramente a cumplir sus promesas de matrimonio. Después de ese acto se abría el período de amonestaciones.

El segundo era sinónimo del enlace matrimonial. Comenzaba con el mismo juramento en el pórtico de la iglesia, pero en presencia del celebrante y los asistentes, renovando sus juramentos de compromiso en el presente y no, como antes, en el futuro. Luego se adentraban en la iglesia para la bendición matrimonial, a la cual accedían cubiertos por un mismo manto propiedad de la iglesia y de color blanco, denominado «yugo», él cubriendo los hombros y ella la cabeza, y si los novios habían tenido hijos con anterioridad bastaba con reunirlos a todos bajo el mismo yugo para que quedaran reconocidos.

En la actualidad, y cuando se aplica este rito, el manto cubre a ambos esposos los hombros y solamente antes de una bendición especial que reciben después de la celebración del matrimonio y momento previo a la comunión.

Boda por poderes

Este tipo de enlace fue muy utilizado en el siglo XIX y a principios del XX por las personas que marchaban en busca de trabajo al extranjero, al no poder reunirse con sus respectivas parejas el día de su boda. También fue frecuente entre reyes europeos para desposarse.

Se trata de la solución idónea en el supuesto de que una de las partes contrayentes no pueda estar presente en el lugar, fecha y hora de la ceremonia. La imposibilidad de costearse el viaje, una enfermedad, estar en prisión, u otra razón, son algunas de las causas. En caso de peligro de muerte de alguno de los contrayentes, el matrimonio podrá celebrarse en lugar distinto del juzgado, ayuntamiento o iglesia.

Matrimonio civil por poderes

Preparada y cumplimentada toda la documentación, cada uno de los contrayentes debe presentarla. Si esto no fuera posible, porque alguno de ellos se encontrase en el extranjero, el juzgado enviaría un despacho al Consulado de nuestro país en el lugar donde éste se encontrase, para que el contrayente se presentase allí. Solucionado el trámite, el Consulado remitiría, nuevamente, todos los documentos a los que adjuntaría un *poder consular* con el que otra persona lo representaría.

El día de la boda es exigencia legal que *una de las partes contrayentes esté presente* en el lugar donde ésta se celebre. El contrayente ausente deberá otorgar un poder especial a un conocido o amigo. Este documento, firmado ante notario (o cónsul), llevará claramente especificado que es un poder de representación que se otorga exclusivamente para este fin.

Además, en él constará el nombre de la persona con la que se desea contraer nupcias.

Matrimonio eclesiástico por poderes

El Código de Derecho Canónico establece que para que pueda celebrarse válidamente el matrimonio por procurador se requiere un poder o mandato especial para contraerlo con una persona determinada, firmado por el novio mandante además de por el párroco u ordinario del lugar en donde se otorga el poder, o por un sacerdote delegado por uno de ellos, o por dos testigos; o que se haga mediante documento auténtico según el Derecho Civil.

El procurador debe designarse por el novio mandante y deberá desempeñar personalmente esa función.

Si el mandante no sabe escribir, debe hacerse constar esto en el mismo documento y añadirse otro testigo, que debe también firmar el escrito; de lo contrario, el poder es nulo.

Si el novio mandante, antes de que el procurador haya contraído matrimonio en su nombre, revoca el poder o padece amencia, el matrimonio no es válido, aunque el procurador o la otra parte lo ignoren.

Puede también contraerse matrimonio por medio de intérprete fiel.

Resumiendo, consiste en un enlace por delegación en el que uno de los cónyuges no estará presente en la iglesia. Otra persona, reconocida legalmente, será la que en su lugar ratifique y consienta el matrimonio en nombre del contrayente interesado. En el mandato debe especificarse el nombre de la persona con la que se desea celebrar matrimonio. Este poder puede ser privado, firmado ante dos testigos o público eclesiástico, a través de procurador, párroco y obispo, firmado ante notario. En cualquier caso, los testigos tienen que ser mayores de edad y estar en pleno ejercicio de sus facultades y derechos.

V

La comida

Después del importante acto de unión matrimonial suele agasajarse a los invitados con una comida más o menos formal que mantiene y prolonga la alegría del momento. No es imprescindible, pero en la mayoría de las civilizaciones es tradición. Veamos sus distintas opciones, rasgos y pasos.

Varias opciones

A) CÓCTEL:
Cuando la boda se celebra por la tarde cabe la posibilidad de agasajar con un cóctel. *Es una comida sencilla, fácil de comer con los dedos y de pie,* aunque pueda haber algún asiento. Suele durar de *dos a tres horas* y los novios se entremezclan con sus invitados.

B) Almuerzo o cena:

De más solemnidad es ofrecer un almuerzo o cena formal (no buffet).

El almuerzo podrá constar de:

- *Aperitivo* (no más de 30 minutos).
- *Menú* (negociado, probado y concretado), que constará de:
  - a) Entrante ligero, consomé, entremeses, marisco, etc.
  - b) Pescado (caprichos de pescado).
  - c) Carne.
  - d) Postre.
- *Café* o *infusiones*.

La cena será más ligera:

- *Aperitivo* (no más de 30 minutos).
- *Menú*, que constará de:
  - a) Un entrante ligero, crema, marisco, etc.
  - b) Un único plato de carne o pescado.
  - c) Postre.
- *Café* o *infusiones*.

En cualquiera de las comidas mencionadas, se sobrentienden incluidos la tarta de novios, los vinos, cavas y licores.

Si antes señalaba que arrojar arroz, legumbres o pétalos sintonizaba con la fertilidad, también el origen de la tarta de novios está ligada a esta simbología. Parece ser que los romanos lanzaban, por esa misma razón, dulces sobre la cabeza de la novia y obligaban a los novios a probarlos. Esta tradición perduró y se extendió más allá del Imperio hasta el siglo XVII, cuando en Inglaterra, la tradición no sólo incluía unos pocos pastelillos sino ya una gran torre golosa

–puesto que cuanto más alta era, mejor porvenir tendrían los novios–, y que en la mayoría de las ocasiones terminaba diseminada por el suelo; entonces un ingenioso cocinero francés decidió crear el diseño de la tarta de novios actual para acabar con los problemas.

Sugerencias

A la hora de elegir el menú, es conveniente que los novios prueben con antelación varios diferentes para comparar y decidir con acierto. Pueden incluso dirigirse a diversos establecimientos o empresas. De querer organizar el banquete en la propia casa, ya sea por disponer de un gran salón o de un espacioso jardín, se puede recurrir a los servicios de catering o empresas que cocinan a domicilio, pero hay que concretar muy bien el precio de la hora, sobre todo por los que puedan agregarse por la prolongación del banquete. Es preciso hacer hincapié en la decoración floral de la mesa (supervisándola personalmente) y en la tarta nupcial. Lo ideal es plasmarlo todo por escrito. Si el servicio supera las expectativas se debe dar una propina.

Menú vegetariano

Es fácil que alguno de los invitados a la boda siga una alimentación vegetariana u ovolactovegetariana, en cuyo caso es preciso un menú especial.

En la visita que los novios deben hacer a sus amigos o familiares para la entrega de las invitaciones, pueden aprovechar para descubrir si alguno de ellos es vegetariano y, en tal caso, tomarán buena nota para encargar que preparen platos alternativos que resulten tan apetecibles como los que van a degustar el resto de los invitados.

Para comenzar un banquete vegetariano, y como *aperitivo* una buena opción puede ser decantarse por unos entrantes ligeros y equilibrados, como unos baloncitos de espinaca con piñones y pasas, un sorbete de aguacate y coco o unos mini biscuits de cereales untados con paté de aceitunas negras. También se pueden preparar unos montaditos de remolacha, en los que ésta se corta en rodajas que se intercalan con huevo y con láminas de patata. Una mayonesa de zanahoria será el acompañamiento idóneo.

Los platos fuertes de un menú de boda vegetariano suelen ser más suaves que los que se sirven habitualmente al resto de los comensales, basados prácticamente en carnes consistentes y acompañamientos de salsas o cremas a base de natas, por ejemplo.

Un primer plato caliente vegetariano puede presentarse a base de verduras braseadas, espárragos trigueros gratinados o bolas de vegetal. En frío, también cabe una ensalada original, como la preparada con lechuga, tomate, cebolla, aguacate y palmitos, o incluso con mango y papaya o con naranja y dátiles.

El segundo plato puede ser un poco más fuerte, como un pastel de calabacín o un plato de seitán a la plancha con mousse de salsa de tomate, o un plato de calabaza rellena de cebolla, arroz integral y pimienta.

Un postre vegetariano puede ser tan suculento como la tradicional tarta de boda, ya que una buena confitura de castañas, una macedonia de frutas con un toque de jengibre o una decorada brocheta de frutas puede ser un modo más ligero pero igual de dulce para poner punto final a un banquete vegetariano.

Conviene saber que los ovolactovegetarianos incluyen en su alimentación además de alimentos de origen vegetal, lácteos y huevo, por lo que en este caso el menú puede resultar más variado y también más sencillo de elaborar.

Invitados extranjeros

Si a la boda van a asistir invitados que profesan otras religiones y pertenecen a distintas culturas, ha de prestarse atención a su alimentación, ya que, en ocasiones, tienen prohibida la ingestión de algunos productos. Así, los musulmanes no pueden comer cerdo o beber alcohol. Además, durante el Ramadán han de abstenerse de comer y beber hasta después de la puesta de sol. Probablemente no acudirán a la boda si su fecha coincide con el primer mes del año islámico (comemoración de la muerte por asesinato del hijo mayor de Mahoma). Como curiosidad, hemos de señalar que los árabes comen sólo con la mano derecha. Algo similar a lo que ocurre con los ingleses, que no apoyan la que no utilizan sobre la mesa.

Las leyes dietéticas judías vedan también la ingestión de ciertos alimentos como la carne de cerdo y derivados, liebre o conejo; también prohíben mezclar carne con productos lácteos, pero pueden ingerir carne de animales que sean rumiantes y de pata partida, aunque sacrificados con un cierto ritual; en cuanto a animales marinos, está prohibida la ingestión de mariscos y moluscos o cocinar con ellos. Por lo que lo más apropiado para agasajar a invitados judíos es un menú a base de pescado y verduras.

Aparte de estos casos, también pueden asistir al banquete comensales aquejados de alguna enfermedad que les obligue a prescindir de ciertos alimentos (diabéticos, celiacos, etc.), por lo que se hace necesaria la confección de menús especiales.

La tarjeta del menú: formal o creativa

El objeto de la tarjeta del menú es la *descripción de la comida y de los vinos* para que el invitado sepa, anticipadamente, lo que va a comer y beber.

Un almuerzo o cena formal constará de un *entrante, un centro y un saliente*. También los vinos forman parte de la comida, incluso el cava. Por eso, al elaborar la *tarjeta del menú*, el orden de la comida ha de ir paralelo al de los vinos.

Nunca habrá de señalarse el aperitivo previo, ni el café, licores y tabaco. Se da por sabido que no faltarán.

Esta tarjeta puede ser: 1) *formal* o seria y 2) *creativa*.

a) *Formal:* ha de ser sencilla, rectangular, impresa en cartulina de buena calidad, normalmente cruda o blanca. Contendrá únicamente la descripción del menú y de los vinos. En su parte superior lucirá un símbolo de la boda, o un escudo de los anfitriones o incluso podría mencionar en honor de quién se ofrece el banquete.
b) *Tarjeta de menú creativa:* está doblada por la mitad, en forma de díptico, pareciendo un libro sin hojas. En

la portada se puede exponer o diseñar lo que plazca: el motivo del banquete, un dibujo...; y en la parte interior derecha, la descripción de la comida y bebida.

El aperitivo y, más tarde, la entrada al comedor

Una vez llegasen los asistentes al lugar del banquete, y normalmente en un espacio distinto del comedor, es ofrecido el *aperitivo.* Su *finalidad* más importante es *permitir la llegada de todos los comensales, conversar,* e incluso, si fuese el caso, *conocerse entre ellos.* Es, además, el último plazo para poder hacer cualquier modificación de puestos en la mesa. Su duración no debe exceder los *30 minutos,* transcurridos los cuales será el *maître* quien comunique que la comida está dispuesta.

El *acceso al comedor* puede adoptar *dos formas,* dependiendo de si la boda es muy pequeña o familiar, o si es numerosa.

- SI FUESE MUY PEQUEÑA, cabe la posibilidad de que la novia acceda al comedor acompañada de las demás señoras, e inmediatamente lo hagan los señores a iniciativa del novio.
- No obstante, *LO COMÚN Y MÁS INDICADO* es lo siguiente:
  Primero: los invitados entran en el comedor situándose ante sus sitios, de pie.
  Segundo: los integrantes de la mesa presidencial hacen lo mismo, excepto los novios.
  Tercero: los novios acceden los últimos al comedor.
  Todos están de pie ante sus sitios, y *al entrar los novios y tomar asiento,* se sientan (las señoras ayudadas por el caballero de su izquierda).

MENÚ

Langosta dos salsas
Cigalas al vapor
Almejas a la marinera
Vieiras caramelizadas

Rodaballo Galicia
Salsa marinera

Medallones ternera
Salsa a la avellana

Tarta a la crema helada

Blanco Cune
Albariño 73
Tinto Rioja
Cava

Palacce
Madrid, 11 Abril, 2015

CENA CON OCASIÓN DEL ENLACE MATRIMONIAL DE DÑA. MARÍA BARROS IGLESIAS Y DON RODRIGO LÓPEZ DIZ

MENÚ

Langosta dos salsas
Cigalas al vapor
Almejas a la marinera
Vieiras caramelizadas

Rodaballo Galicia
Salsa marinera

Medallones ternera
Salsa a la avellana

Tarta a la crema helada

Blanco Cune
Albariño 73
Tinto Rioja
Cava

Palacce
Madrid, 11 Abril, 2015

FIGURA 21. *Tarjeta del menú modelo formal, dos posibilidades.*

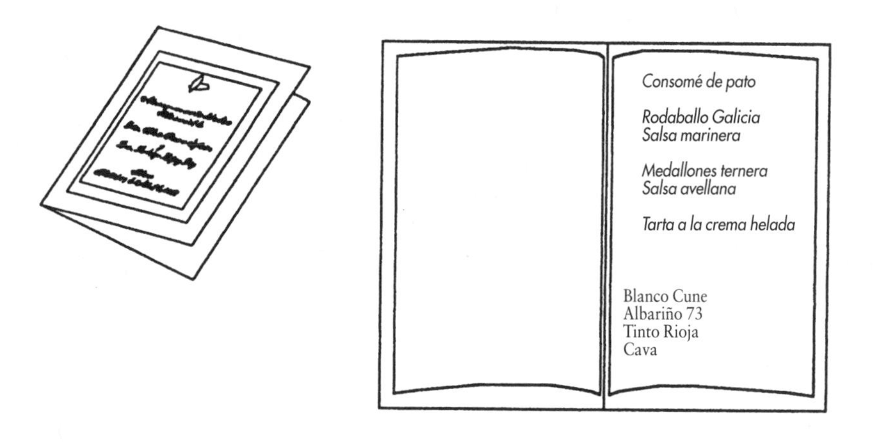

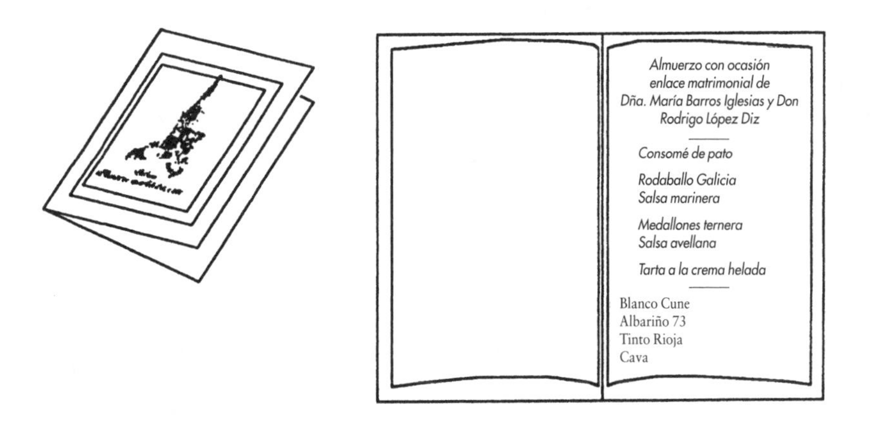

FIGURA 22. *Tarjetas del menú, modelo creativo.*

La señal de que empieza el banquete la pone *la novia cuando inicia el acto de comer.* Y será ella misma quien ponga el *punto final* levantándose de la mesa.

- También los invitados podrían acceder al comedor en COMITIVA DE PAREJAS.

Forma de indicar la colocación de los comensales

a) *Mesero*
b) *Paneles*
c) *Tarjeta individualizada con plano*
d) *Tarjeta personal del puesto en la mesa, o de plato*

Con el fin de evitar la desorganización de un banquete y el desconcierto de los comensales ante la incógnita «¿cuál será mi sitio?», se han creado una serie de técnicas como las que a continuación expongo:

a) EL MESERO: es un sofisticado y distinguido plano de la mesa que se presenta en cuero y normalmente en manos de un camarero o persona seleccionada y uniformada para ello. Sólo es apropiado para banquetes en mesa imperial y no muy grande, pues consiste en la plasmación de una mesa de estas características, donde se incrustan unas tarjetas rectangulares a modo de presentación de los comensales –con el tratamiento y los nombres de éstos–, ubicadas en el mismo orden y posición que tendrán en la auténtica mesa. Con ello se logra informar y evitar inquietudes a los invitados, pues conocen con antelación dónde han de acomodarse.

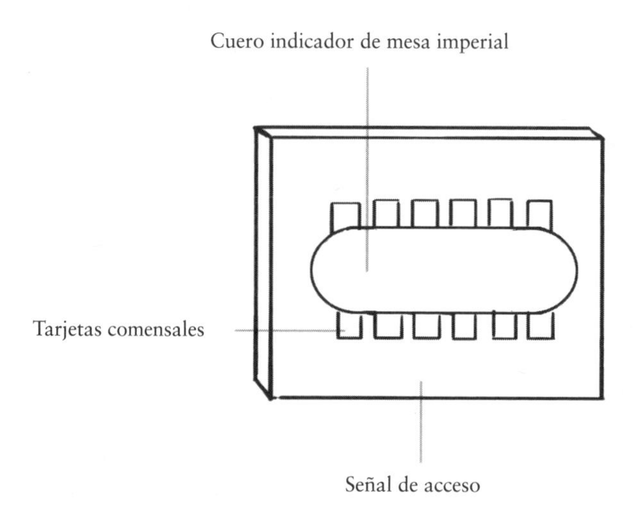

FIGURA 23. *Ejemplo de un mesero común.*

b) LOS PANELES: suelen ser muy utilizados en banquetes nupciales. Se trata de unos expositores amplios, cuadrados o rectangulares, que se colocan en sitios muy visibles (antesala del comedor, entrada del restaurante...). Normalmente son dos y se complementan:

UNO, *con la relación de apellidos y nombres de todos los comensales por orden alfabético, indicando la mesa que les corresponde a cada uno;*

OTRO, *con el plano del comedor* señalando el acceso al mismo, la situación y la numeración de las mesas.

Este mismo sistema de los paneles puede también ser utilizado de una forma más ingeniosa sustituyendo los números de cada mesa por alguna representación de flores, frutas, piedras preciosas, etc.

c) TARJETA INDIVIDUALIZADA CON PLANO: se trata de una cartulina del tamaño de medio folio aproximado, doblada a la mitad, que en su portada lleva el símbolo del enlace, el

FIGURA 24. *Paneles indicativos.*

objeto de la comida o incluso el escudo, si los anfitriones lo poseyeran, y a continuación algún renglón con puntos suspensivos para señalar el nombre del comensal y su tratamiento (figuras 25 y 26).

La finalidad de su parte interior, si la comida es un almuerzo o cena formal, y aún optando por cualquiera de las formas existentes para mesas de banquetes –que más adelante veremos–, será señalar el lugar a ocupar por el comensal en la mesa.

Así, si su sitio se encuentra en la mesa presidencial, simplemente se marcará una «X» indicativa en dicha mesa dibujada. Esta «X» será roja si el invitado es mujer o negra si es hombre (figura 26 a); si la indicación es para sentarse en una mesa múltiple (figura 26 b) se pondrá el dibujo y/o número de la mesa, ahorrándonos la «X» indicativa, ya que se agradecen las tarjetas personales de plato en mesas de pequeño tamaño.

Se volverá a recurrir a la «X» indicativa si, por ejemplo, debemos posicionar a un comensal en una mesa dentada (figura 26 c).

Estas *tarjetas individualizadas con el plano* suelen ser en-

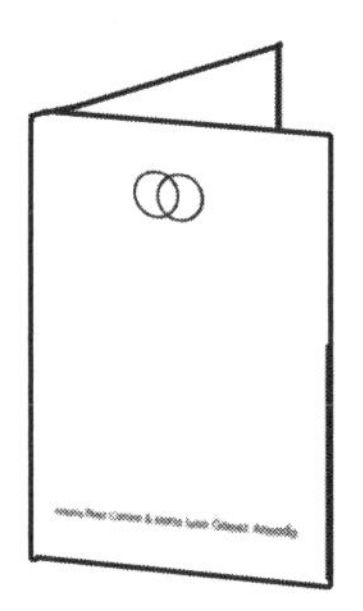

FIGURA 25. *Cara exterior con nombre.*

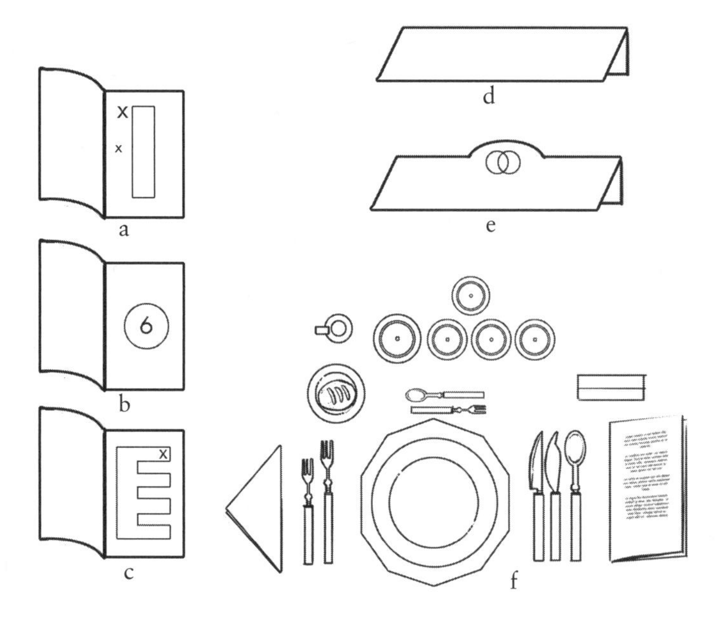

FIGURA 26. *Cara interior con el plano o número de mesa del comensal.*

tregadas previamente a los invitados en sus casas, lugar de residencia..., o incluso a la llegada al lugar de celebración del banquete, durante el aperitivo.

d) TARJETA PERSONAL DE PLATO O DEL PUESTO DE MESA: se la considera como el último paso que guía al comensal para que llegue sin dificultades a su sitio en la mesa. Su objetivo es señalar *in situ* el lugar del invitado en la mesa, por lo que mostrará claramente su nombre (y en ocasiones muy formales el tratamiento y cargo).

Si trazamos una línea divisoria del plato de arriba abajo que extralimite sus bordes, la posición de esta tarjeta será en la parte superior, a la derecha de ésta, en lugar bien visible (figura 26 f).

En la mesa presidencial, en la mayoría de los casos, no suele utilizarse. Puede llevar dibujado el símbolo del enlace o escudo, si procediese.

Visión general de un comedor de bodas, con varias posibilidades de disposición de mesas

Las mesas redondas son muy utilizadas y socorridas al poder «camuflar» un exceso o defecto de comensales en el último momento. Se usan solas o intercaladas con mesas rectangulares y su visión general, si están debidamente ornamentadas, es realmente bella.

Para el logro de un diseño como el de las figuras 27 y 28 es preciso un comedor de grandes dimensiones. Se puede observar que, como la mesa presidencial se encuentra situada en un extremo del comedor, es rectangular.

De ser centrada dicha mesa presidencial, nos encontraremos con el diseño que se muestra en la figura 29, para el que también se requiere un comedor amplio.

Otros diseños que pueden montarse en menor espacio, en proporción al número de comensales, son (figura 30):

a) La mesa dentada (o «en peine»).
b) Mesa en «U».

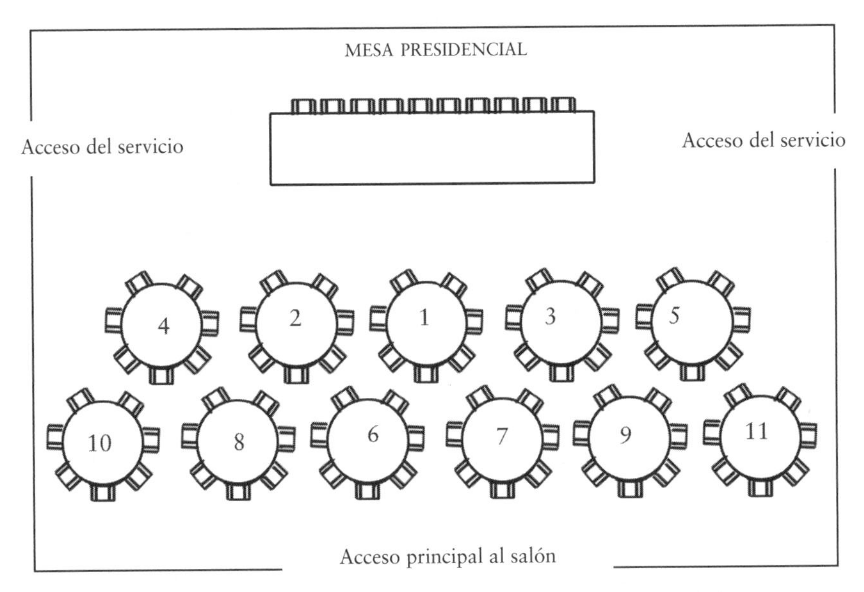

FIGURA 27. *Numeración del modelo dispuesto con uso exclusivo de mesas circulares para ocho personas.*

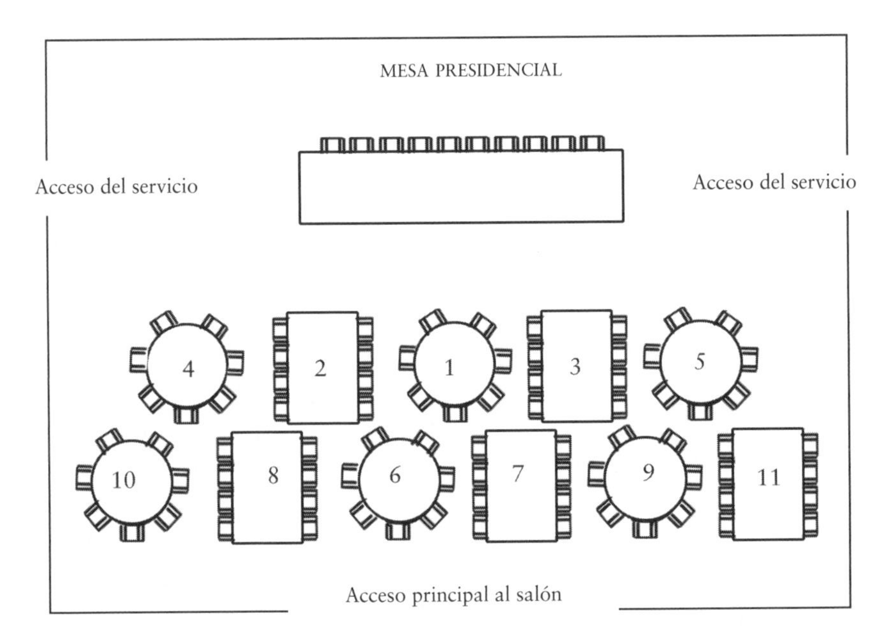

FIGURA 28. *Numeración del modelo dispuesto con uso de mesas circulares intercaladas con mesas cuadradas.*

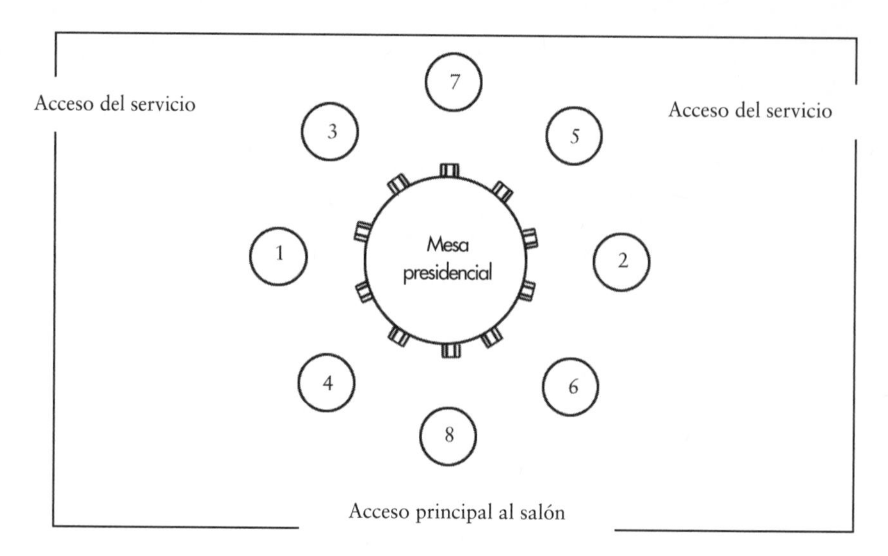

FIGURA 29. *Disposición radial de mesas circulares: en el centro la mesa presidencial.*

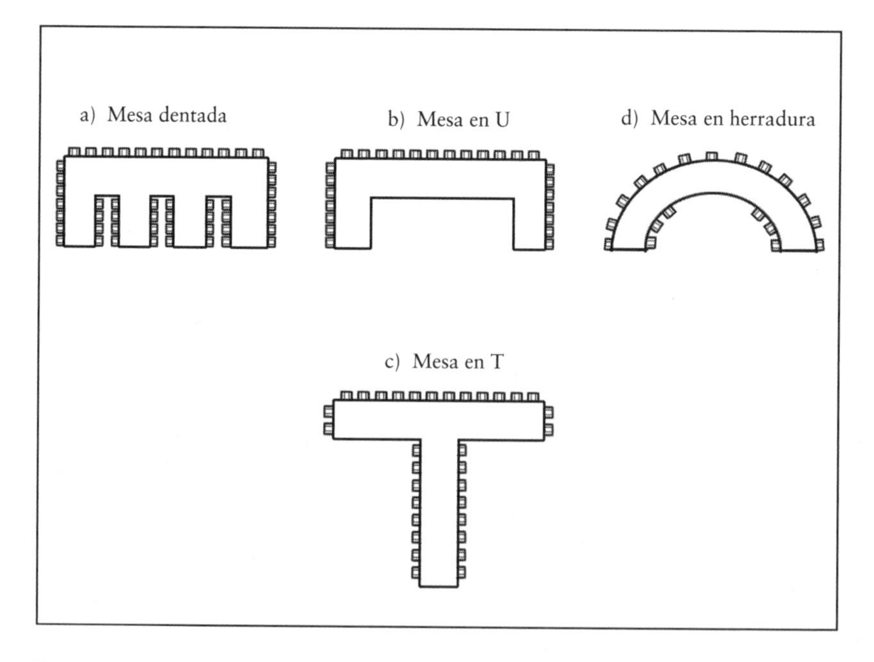

FIGURA 30. *Otras disposiciones.*

c) Mesa en «T». No es de gran estética, pero soluciona el problema de una numerosa presidencia cuando hay pocos invitados.
d) Mesa en herradura.

Colocación de los novios y personas más importantes en la mesa presidencial y colocación de los demás comensales en mesas redondas

La mesa presidencial será *rectangular* cuando su ubicación sea a un lado del comedor, y será *redonda* cuando se encuentre centrada en el mismo.

Si la *mesa presidencial es rectangular,* la colocación de sus miembros será la siguiente:

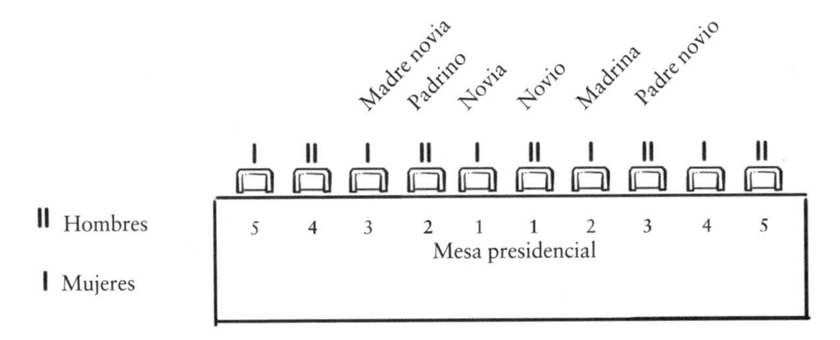

FIGURA 31. *Colocación de los novios y personas más importantes en la mesa principal. (De asistir el sacerdote que oficie la ceremonia, su colocación ha de ser al lado del padre de la novia, o padrino, y la novia).*

Si una *mesa presidencial es redonda,* la colocación protocolaria de sus miembros, en situación ordinaria, sería la de la (figura 32a).

Sin embargo, con ocasión de un *enlace matrimonial,* la colocación de las personas que integran la mesa presidencial se vería modificada sustancialmente, rompiendo las pautas habituales del protocolo, siendo la figura 32b un ejemplo válido a practicar.

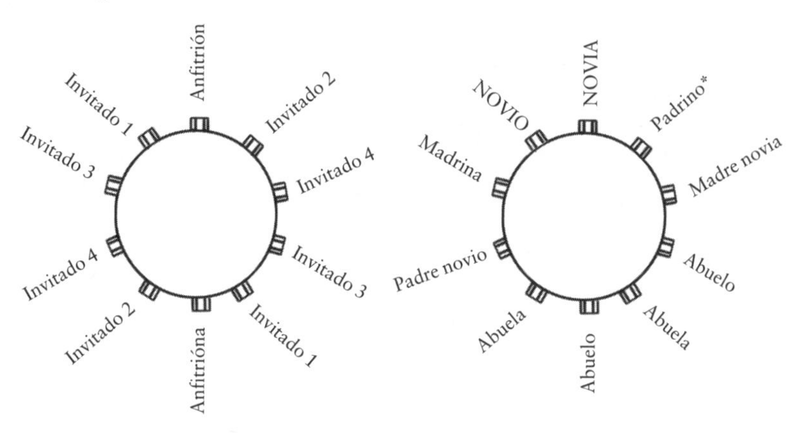

FIGURA 32a. *Colocación protocolaria en mesa circular.*

FIGURA 32b. *Colocación con ocasión de enlace matrimonial.*

Las mesas redondas pueden tener capacidad para *seis, ocho, diez, doce y catorce* personas.

Estas cifras pueden verse modificadas a número impar cuando la situación se hace irremediable o por razones de última hora (aparición de un nuevo comensal, ausencia de otro...). Sin lugar a dudas, lo ideal es el número par. Esto no tendría importancia en el banquete de una boda, dado que los novios-presidentes se sientan juntos; pero en otro tipo de celebraciones *no* son aconsejables *como mesas presidenciales* ni la de *ocho ni* la de *doce,* pues las dos presidencias (anfitrión y anfitriona) no coinciden en situación enfrentada. Por contra, sí se recomienda:

- Si el *comedor es grandísimo,* una mesa presidencial de *catorce,* y las restantes mesas de *diez.*
- Si el *comedor es grande,* una mesa presidencial de *diez* y las restantes de *seis u ocho* comensales.

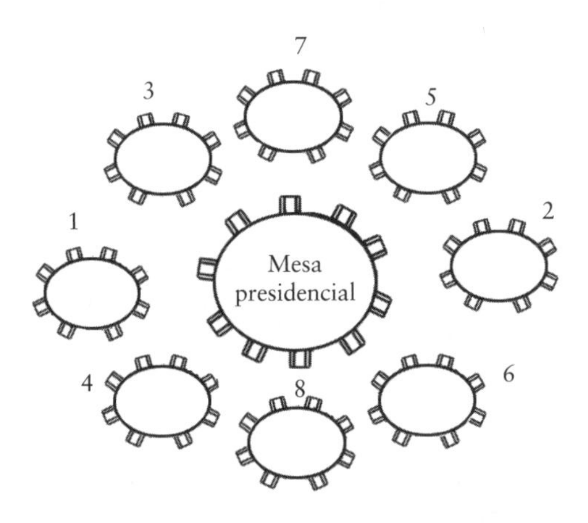

Figura 33. *Ejemplo de colocación de comensales en mesas independientes.*

En mi opinión, para un banquete de enlace matrimonial, es mucho más *práctica y estética la mesa presidencial rectangular,* pues los novios, que al fin y al cabo son el atractivo u objeto de la boda y de todas las miradas, no dan la espalda a ningún comensal y pueden protagonizar las escenas propias de ese día (cortar la tarta, el «¡que se besen!...»).

El ejemplo de colocación de los comensales en las mesas independientes, sean éstas redondas o rectangulares, sería el siguiente, atendiendo a personas de *un mismo sexo.*

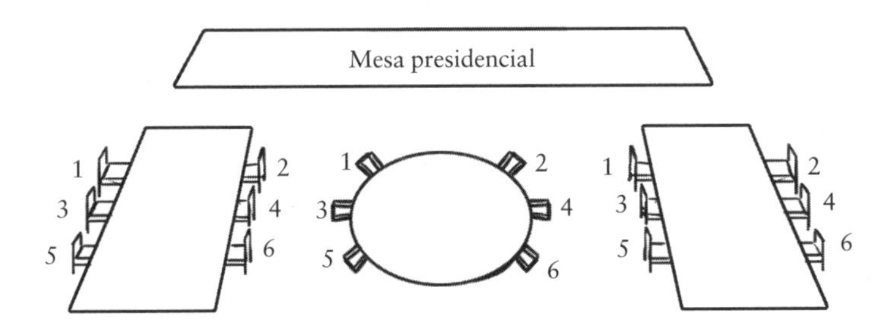

Figura 34. *Ejemplo de colocación de comensales en mesas rectangulares y redondas.*

Como se puede observar, la solución es fácil. Cuanto más cerca de la mesa presidencial, más preeminente o importante es el invitado; cuanto más lejos, menos precedencia le corresponde. El problema surge cuando hay que sentar a parejas de distinto sexo y a la vez, sus componentes son personalidades o poseen títulos o cargos que obligan a una rigurosa prelación. A continuación se ofrecen tres posibles soluciones.

Solución a): Es válida aunque obliga a enfrentar a mujeres o a hombres

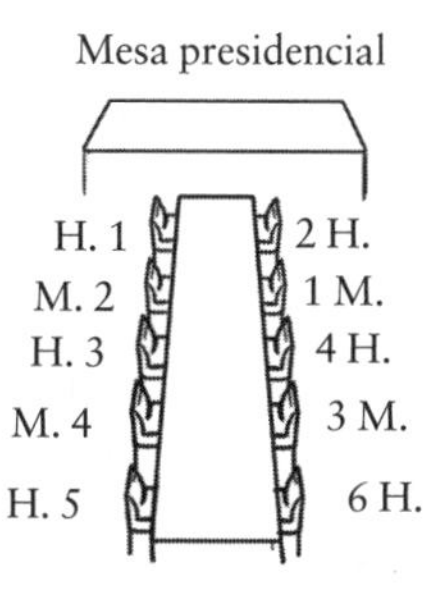

Solución b): Si la *prelación,* categoría o cargo de todos los integrantes de la mesa fuese *similar,* cabría esta posibilidad.

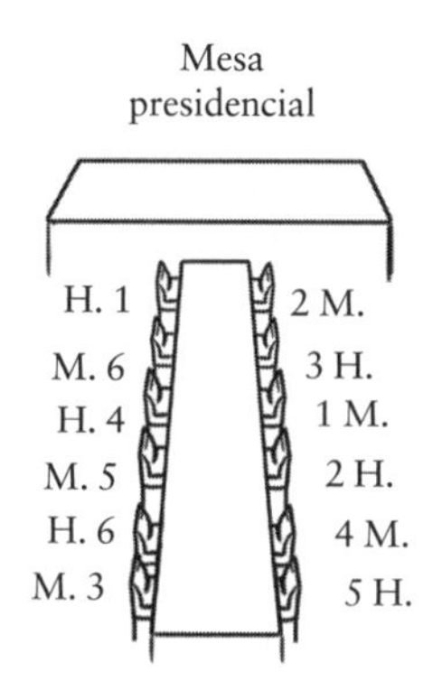

Solución c): También se podrían *montar presidencias* utilizando el sistema de presidencias francés y el sistema de las agujas del reloj, al menos en alguna mesa conflictiva.

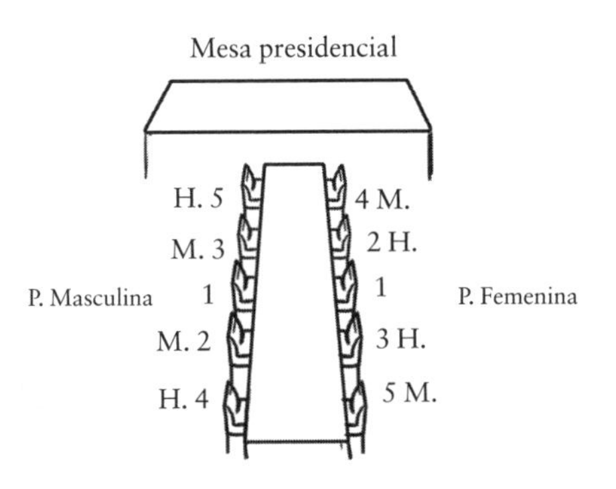

Colocación de todos los comensales en una mesa «en peine» o «dentada»

Cuando un comedor no es muy grande y quiere acoger a un número importante de comensales, una opción válida es la utilización de la mesa «en peine» o «dentada». Aunque su estética es objeto de constante debate, me atrevería a decir que si está bien colocada y adornada fina y delicadamente, puede destacar por su singularidad y belleza.

Los «dientes» de la misma pueden estar unidos a la mesa presidencial o separados. La fórmula para sentar a los invitados varía de un supuesto a otro.

Detalles a tener en cuenta

- Como regla general los *matrimonios invitados no* deberán estar *sentados juntos,* esto es, ni el caballero al lado de su esposa, ni enfrentados, aunque es admisible esta última situación, de no haber otro remedio.

- No es permisible sentar a las señoras en los extremos de la mesa o más de dos en puntas de banda cerrando la misma.
- Deberá también haber *alternancia hombre-mujer,* aunque, si es irremediable, por coincidir número impar de comensales (y no en puntas de banda o extremos), se puede sentar a dos señoras juntas. Por contra, se evitará hacerlo con dos hombres, quienes sí podrían colocarse juntos en los extremos.

He aquí un ejemplo de fácil comprensión en lo que a parejas se refiere. He trabajado con 22 hombres y mujeres, y un procedimiento de acomodación inalterable. De ahí que, la pareja número seis haya quedado enfrentada (aunque lejanamente). Los puestos de la pareja mencionada no existirían si la mesa presidencial estuviese separada de sus «dientes», salvo en caso de fuerza mayor.

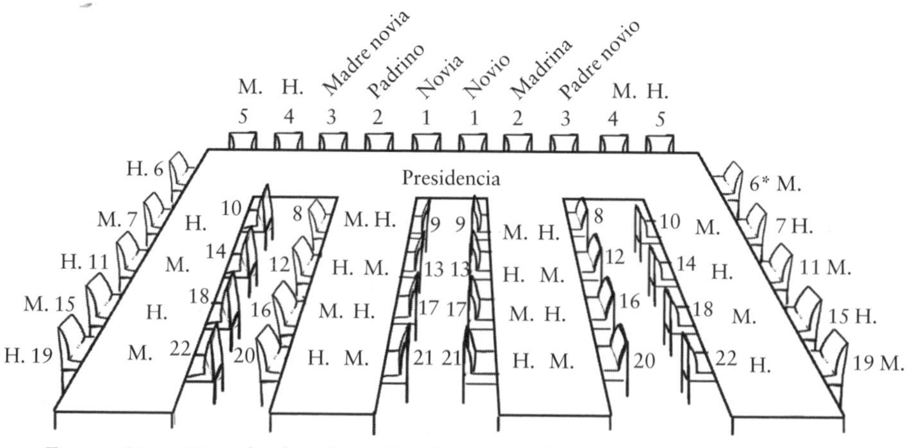

FIGURA 35. *Ejemplo de colocación de comensales en una mesa «en peine» o «dentada».*

- De asistir un *sacerdote y éste haya ceremoniado*, es costumbre que sea él quien bendiga la mesa antes de comenzar a comer. Sin embargo, algunas hermandades, y si los novios son miembros de las mismas, consideran un honor que el más alto representante de la misma lo haga.
- Un servicio de hostelería que se precie para esta ocasión debería uniformar adecuadamente a su personal –incluyendo guantes blancos– y en ningún caso debería olvidar que, generalmente, líquidos y limpios se sirven por la derecha y sólidos y sucios por la izquierda. Ni que el segundo plato limpio va caliente a la mesa y que la cortesía está por encima de todo.
- Los adornos florales de las mesas deben tener una disposición que permita ver al comensal de enfrente. Esto es, ni muy altos ni muy bajos.
- Si se trata de una cena, el mantel deberá ser blanco, y sólo en esta ocasión se deben utilizar velas, siempre que no haya luz directa.
- El servicio individual de mesa estará compuesto por los elementos de la figura 36.

Al llegar el momento de *partir la tarta nupcial*, los novios serán invitados por el *maître* a levantarse. Ella tomará el cuchillo o el simbólico sable, que él le ofrecerá, y entre los dos novios cortarán las primeras divisiones del pastel de bodas.

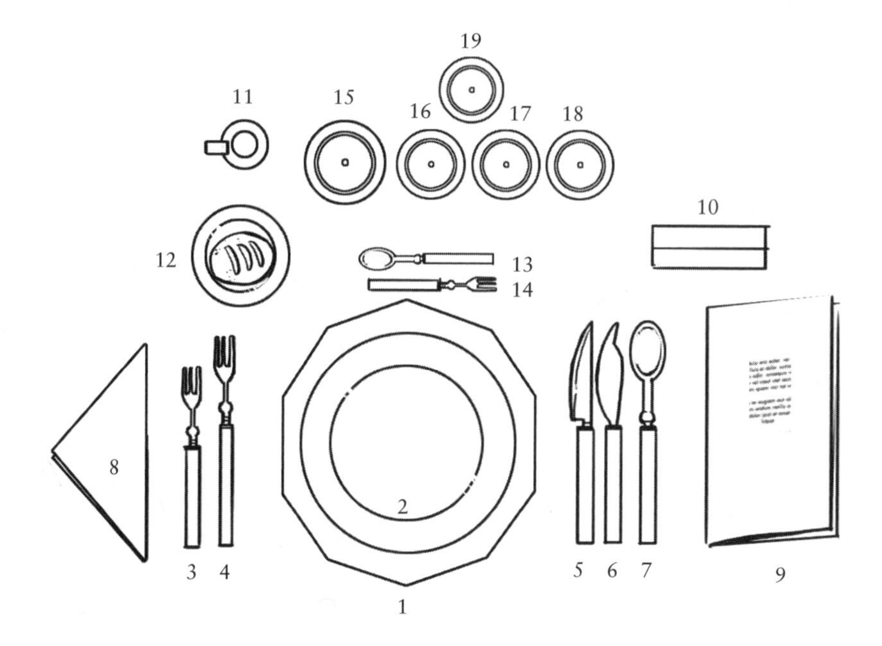

1. Plato de presentación o bajo-plato
2. Plato de porcelana
3. Tenedor de pescado
4. Tenedor de carne
5. Cuchillo de carne
6. Cuchillo de pescado
7. Cuchara
8. Servilleta
9. Tarjeta del menú
10. Tarjeta personal del plato
11. Cenicero
12. Plato del pan
13. Cuchara de postre
14. Tenedor de postre
15. Copa de agua
16. Copa de vino tinto
17. Copa de vino blanco
18. Copa de licor (si el café se va a tomar en la misma mesa y no en un salón aparte).
19. Copa de cava

FIGURA 36. *Servicio completo que debe tener cada comensal.*

Brindis

A la hora del brindis, suele ser el *padrino* o la persona de más relevancia (por ejemplo, en el caso de una monarquía cuya regencia corresponda a una reina, será la propia reina) quien dirija a los novios unas palabras y pida a los invitados que se pongan en pie con el fin de iniciar el brindis. De no pronunciarse estas palabras, los comensales levantarán su copa *(a la altura de la nariz y sin hacer el inadecuado «chin chin»)* cada uno desde su sitio y con un leve movimiento de cabeza brindarán por la suerte, salud y felicidad de los novios. Los novios pueden dar una respuesta verbal o abstenerse de ello.

Conclusión del banquete

Una vez finalizado el banquete, los novios, juntos, deben ir de mesa en mesa saludando y agradeciendo de nuevo la asistencia y los regalos a sus invitados. Lo mismo harán los padres del novio y de la novia. Durante este itinerario, en muchas ocasiones aprovechan para ofrecer regalitos a los invitados al estilo de almendras dulces, pequeñas figuras de porcelana o plata, tabaco selecto... En bodas reducidas, o muy familiares, a algunos novios les agrada, a la vez que van saludando a sus invitados, recoger dedicatorias de éstos en un bonito libro preparado a esos efectos. En la mayoría de los casos la petición se invierte, esto es, son los comensales quienes quieren que los novios les escriban algo en la invitación o tarjeta del menú. Ésta es la razón por la cual ha de ser una práctica exclusiva en banquetes «íntimos».

El baile

La música y el baile llevan la alegría al punto máximo de la fiesta. Ésta ha de ser contratada con la misma empresa cuando se negocie el banquete o, si es deseo de los novios traer a algún artista especial por su cuenta, deben dirigirse con suficiente antelación a su representante para ver si es viable o no su actuación y afrontar los gastos de forma independiente.

Si se ha decidido que haya baile, éste *será iniciado por los novios* que, en principio, bailarán solos el tradicional vals. Más tarde, será el padrino quien baile con la novia y el novio quien lo haga con la madrina. Poco a poco, se irán incorporando a la danza el resto de los invitados.

Fin de fiesta

Hoy es muy habitual que los novios no desaparezcan del banquete, como hace algunos años, en los que su fuga era todo un ritual. Esto permite a los presentes prolongar la fiesta, pues al fin y al cabo, los recién casados son su eje. Es más, son ellos mismos quienes despiden a sus invitados.

No obstante, de hacer lo primero, serán los padres de los novios quienes los sustituyan en esa misión y queden hasta el final de la fiesta. También se quedarán los padrinos y testigos.

Luna de miel

Los novios habrán organizado minuciosamente el viaje de luna de miel. Al menos con tres meses de antelación, es aconsejable que se informen de las posibles opciones, y comiencen desde entonces a preparar visados, pasaportes, vacunaciones... Si deciden utilizar como medio de transporte su propio automóvil, deberán revisarlo con tiempo. Si el viaje va a ser al extranjero, preverán el cambio de moneda.

Parece ser que el término «luna de miel» deriva de la costumbre de algunos desposados del norte de Europa de consumir una bebida licuosa hecha a base de miel durante el período de toda una luna o semana. Evidenciaban que tenía propiedades afrodisíacas.

Agradecimientos

Después de la luna de miel los novios deben enviar unas líneas de agradecimiento a todas las personas que le hayan hecho algún regalo. Es un claro síntoma de atención, elegancia y cortesía.

VI

Varios

Existen ciertas normas, bien eclesiásticas bien de derecho, que el contrayente debe conocer. Así:

- Es posible contraer matrimonio religioso durante todo el año, a excepción de los períodos comprendidos entre la primera Domínica de Adviento y el día de la Natividad del Señor inclusive y desde el miércoles de Ceniza hasta el domingo de Pascua, también inclusive. Durante estos períodos, solamente podrá darse bendición solemne de nupcias por causa muy justificada y extraordinaria; de darse el caso, primará la discreción y la ausencia de pompa.
- El Código Civil dedica un interesante capítulo con dos artículos a la promesa del matrimonio, señalando que «no produce obligación de contraerlo ni de cumplir lo que se hubiere estipulado para el supuesto de su no ce-

lebración. No se admitirá a trámite la demanda en que se pretenda su cumplimiento» y «*el incumplimiento sin causa de la promesa cierta de matrimonio,* hecha por persona mayor de edad o por menor emancipado, sólo *producirá la obligación de resarcir* a la otra parte *de los gastos hechos* y las obligaciones contraídas, en consideración al matrimonio prometido. Esta acción caducará al año contado desde el día de la negativa a la celebración del matrimonio.»

- Cuando los futuros contrayentes soliciten una *boda secreta,* el Ministerio de Justicia guardará silencio absoluto, es decir, impedirá la obligatoria publicidad legal o amonestaciones, siempre que éstos justifiquen la causa de la misma y argumenten la inexistencia de impedimentos matrimoniales.
- De querer los novios *capitulaciones matrimoniales,* deberán constituirlas antes del día de la boda y ante notario.

Todo lo que concierne al enlace matrimonial se rodea de un halo de misticismo que se ve reflejado en curiosidades como las siguientes:

- En algunas poblaciones, se da la pícara secuencia de que el novio roba con destreza la simbólica liga que la novia se ha puesto a esos efectos. En otras, los amigos más atrevidos maniatan al novio para robarle la corbata.
- En estos dos casos, suelen ponerse en bandeja la liga y la corbata troceada, para repartir entre los comensales a cambio de una propina. No es una práctica afortu-

nada ni bien vista por aquellos invitados que ya han hecho un regalo a los novios.

- El beso público que ofrecen los novios a petición de los invitados es el símbolo actual de consumación del matrimonio en nuestra civilización. No como hace siglos ni como en otras civilizaciones actuales, en las que se exige la presencia de un tercero que verifique, *in situ,* la relación sexual de los recién casados.
- Las perlas originan lágrimas en el matrimonio.
- En ocasiones, la novia porta *pinchados* en su ramo *alfileres de cabeza blanca,* que entrega a sus mejores amigas con la promesa de que si los pierden se casarán.
- El ramo también puede ser echado al aire, sin mirar hacia dónde cae, en la creencia de que quien lo coja se casará antes de un año.
- También muchas modistillas solteras que confeccionan el traje de la novia introducen en la bastilla del vestido uno de sus cabellos con la misma finalidad.
- Si el día de la boda llueve, es augurio de prosperidad y riqueza en el matrimonio.
- Para los novios supersticiosos en busca de la buena suerte se les recomienda algo prestado, algo usado, algo nuevo y algo azul. Lo prestado simboliza la amistad; suele ser entregado a la novia por otra mujer que lo llevó anteriormente en su boda. Lo usado o viejo significa la conexión de la novia con su pasado familiar; por ello se le suele dejar una joya e incluso un vestido de novia perteneciente a algún familiar. Lo nuevo simboliza sus esperanzas de iniciar una nueva vida prospera y feliz. Y algo azul simboliza la fidelidad de la pareja. Hasta que la reina Victoria estableció como

color propio de las novias el blanco, parece ser que éstas siempre se casaban de azul.

- El término parafernalia nace en torno a lo que es una boda, o más bien a lo que engloba el ajuar de la futura unión: el conjunto de vestimentas, objetos, etc.

VII

Segundas nupcias

Un segundo matrimonio puede producirse como consecuencia de *viudedad* o *divorcio*.

En el primero de los casos, la persona viuda podrá volver a casarse por la Iglesia. Sin embargo, en el segundo esta celebración se hace imposible, salvo que la Iglesia (católica) declare nulo el anterior matrimonio.

Los divorciados, eso sí, podrán contraer matrimonio civil tal como se señala en el capítulo 3. Y es éste el momento de comentar que cuando una persona divorciada decide volver a casarse debe, por ética y saber estar, informar a su «ex» con suficiente antelación, sobre todo si hay hijos, para que no sufran trauma, se mentalicen y se sientan parte integrante de lo que para ellos va a ser una segunda familia. Deben ser invitados a la boda.

En el supuesto de que uno de los contrayentes sea separado (con matrimonio nulo por la Iglesia católica) y desee volver a casarse por el rito religioso, éste verá cumplido su sueño con una ceremonia completa pero sin la bendición nupcial (que sólo se recibe una vez en la vida).

Enlace de una viuda

En la decisión de volver a contraer matrimonio, una viuda puede enviar en su propio nombre las invitaciones. No obstante, si ésta es joven, lo correcto es que sean sus padres quienes lo hagan o, de ser huérfana, una hermana casada, tía o prima, especificando siempre el parentesco. Así, por ejemplo:

Antonio Cuvillo Cuvillo y Teresa Barros Martínez, tienen el honor de invitarle a la ceremonia religiosa del enlace matrimonial de su sobrina María Barros Iglesias con Rodrigo López Diz...

En relación con la entrega de la novia, no es imprescindible este gesto, siéndolo, sin embargo, que algún pariente o varón la acompañe a lo largo del templo hasta el sitio del novio. No parece correcto formar comitiva, lo que tampoco resta alegría ni lucidez al acto, máxime a sabiendas de que la novia puede ir vestida de cualquier color, aunque prescinda del velo y del azahar. Puede engalanarse con un tocado o un sombrero y siempre con un ramo de lindas flores.

Tradicionalmente, los gastos ocasionados corren por cuenta de la viuda, salvo que alguien (padres, familiares o amigos) quiera ayudarle. Sin embargo, y dependiendo de otras circunstancias, como la edad, madurez, posibilidades económicas, etc., estos costos pueden ser compartidos por ambos contrayentes o incluso correr por cuenta exclusiva del novio.

Enlace de un viudo

Cuando un viudo se casa no se tienen en cuenta requisitos especiales. Incluso vestirá como si de la primera vez se tratara. Si lo hace con una viuda, se remitirá a lo dicho anteriormente, y si lo hace con una soltera, ésta podrá ir con velo, comitiva y será entregada por su padre al novio (ver boda religiosa católica, capítulo 3).

Regalos

Igual que si de una primera boda se tratara, los novios reciben regalos en sus respectivos domicilios, pudiendo confeccionar incluso lista de bodas.

Almuerzo, cena o cóctel

Dado que se trata de un acto señalado y lleno de felicidad, los novios deben compartir su alegría con sus invitados, ofreciéndoles comida, bebida y música, como ya comenté.

VIII

Aniversarios de boda

Teniendo en cuenta las estadísticas que señalan un alto índice de divorcios, y aún más de matrimonios sin separar que no funcionan, poder celebrar «un año más» junto a la persona que se ha elegido por cónyuge de por vida es una maravilla. De recién casados, se espera con ansia ese primer o segundo año de aniversario de boda. Poco a poco se va convirtiendo en rutina, hasta que nuevamente el matrimonio bien avenido da realmente importancia a esa fecha conmemorativa de su enlace, de su amor. Dependiendo de los países y de los autores, cada año a celebrar se denomina de una forma diferente; sin embargo, los aniversarios que más se festejan son las bodas de plata a los 25 años y las de oro a los 50, aunque también se vienen haciendo las de rubí a los 40 y la de diamante a los 60.

Cada pareja programa ese día a su gusto, desde cenar en la intimidad, ir al teatro, a la ópera, viajar, intercambiar regalos o flores, etc., hasta organizar una «segunda boda» como la primera, esto es, celebración religiosa (si ya fue así) y banquete. Claro está que la elección del festejo adecuado se ve condicionada por las circunstancias familiares y el estado de salud de la pareja. Suele ser habitual que sean los hijos quienes se ocupen de todo. En ocasiones, sin llegar a una reproducción exacta de su primera boda, pueden optar por organizar un cóctel a media tarde si son muchos los invitados. Pero en cualquier acontecimiento no puede faltar el brindis, que podrá hacer el padrino –si estuviese presente– o alguno de sus hijos en nombre de todos, al que responderán sus padres, o viceversa, si han sido los cónyuges los que han preferido organizar personalmente el evento.

La forma de comunicar la celebración puede ser a través de invitaciones e incluso, si se desea, notificándolo a través de la prensa.

Los invitados suelen ofrecer regalos, pero no han de ser más que pruebas de afecto. Incluso en las invitaciones se les puede advertir que no se esperan regalos, sino sólo compañía y que de alguna manera lo único que los protagonistas desean es plasmar ese momento en fotos o en algún libro donde los invitados firmen.

SEGUNDA PARTE

Esta parte del libro me obliga a hacer mención especial de todas aquellas personas españolas y/o de diferentes religiones que tan amablemente me han aportado información sobre sus particulares uniones matrimoniales y tradiciones, como es el caso del joven gitano José Borja Jiménez o de D. Antonio Martínez Alonso, de Astorga, al Ayuntamiento de Valdés-Luarca, representantes de sinagogas y mezquitas, etc., y que paso a exponerles, si bien de forma breve y con redacción más «sonora».

Otras bodas con tradición

El amor que se plasma entre dos personas lleva al camino del matrimonio (o a sus diferentes modalidades), más allá de los tiempos y de las geografías.

La celebración en la que se consolida una pareja es patrimonio de todos los pueblos. Aunque aquí hemos dedicado mayor espacio a la institución matrimonial clásica, no les falta interés y atractivo a otros colectivos minoritarios a la hora de señalar la formación de una nueva familia.

Hay que aclarar que no se trata solamente de una ceremonia, ya que a ésta siempre siguen las fiestas de boda. Evidentemente, varían las razones para explicar los festejos, ya que son diferentes las vinculaciones con sus costumbres. También se diversifican las traslaciones de una generación a la otra según el pueblo al que nos refiramos.

Lo que sí resulta semejante es la magnitud de la fiesta según la economía de los novios y su familia: austera y sencilla si sus recursos son bajos; pomposa y rutilante si la situación económica es desahogada.

También es cierto que muchos empeñan sus próximos jornales para «tirar la casa por la ventana», como si en una sola ocasión hubiese que demostrar lo que se tiene y lo que se puede tener. Pero esto sólo es el filo de la realidad, porque todos sabemos que lo que sobresale al hacer referencia a las bodas es: la MAGIA, la ILUSIÓN y la ESPERANZA.

IX

Boda gitana

Pensar en una celebración gitana es ya condicionar nuestro relato a la atmósfera de arte y embrujo en que se ve envuelto este colectivo, del que mucho imaginamos y poco sabemos realmente.

Las bases en la que se asientan sus tradiciones matrimoniales están engarzadas en su propia historia y en la proyección que ellos quieren dar a su descendencia endogámica y centrípeta. Una moral de grupo sólida e inamovible regirá todas las etapas vividas por la pareja hasta que llegue a la boda.

Antes de la boda

Un juego secreto de amor fortalecido por miradas, sonrisas y coqueteo entre los enamorados va acercándonos al momento de la petición de mano. Desde que nace su hijo, el padre espera ansioso que llegue el «enamoramiento». Sin embargo, es tal el respeto que se les tiene a los padres que las primeras etapas pueden pasar desapercibidas. Con amoroso cuidado, el novio, para no «mancillar» a su elegida, va preparando el camino lentamente. Quizás se esté ante los momentos más puros de la relación, porque «no quiere para ella lo que no desea para su hermana».

Pero es la madre de la novia quien, por norma general, descubre los sentimientos de su hija, absorta en sueños e ilusiones, con miradas distraídas, con nuevos prendedores en el pelo, con su constante melena suelta y sobre todo escuchando siempre música romántica. Ésta es una misión específica en la que se educa una madre gitana: observar incesantemente a su hija desde el momento de la pubertad. No obstante, a veces es la propia hija quien se lo comunica a su madre. Ésta buscará el momento adecuado para transmitírselo, con tacto, adecuadamente al marido. Si no llegara a ser de su agrado, no vacilaría en cambiarse de población para que la chica lo olvide. Aquí se nota claramente que la unión familiar y la decisión patriarcal es mucho más fuerte que el apego a pertenencias materiales.

Si es un chico gitano «de bien» (aquel que se ha educado para dar lo mejor a su familia), es aceptado por los padres de la novia, por lo que se empiezan a dar los primeros pasos para la petición de mano. Ésta se inicia con una invitación verbal a un elevado número de familiares, procurando que sea un fin de semana, ya que éstos se desplazan desde lugares lejanos. El novio –claro está– comunicará la situación a su respetable padre. En el encuentro suele utilizar la siguiente frase: «Padre, me quiero pedir». A lo que éste replicará:

«¿Y ella te ha dicho el sí?» (se sobrentiende la respuesta). Al otro día, el novio visita a la novia haciéndoles saber que «el día X vamos a ir a pedirte». La respuesta femenina será: «Lo que diga mi padre». El novio entonces le advierte: «Y si tu padre dice que no, tú me tienes que dar el sí».

Los días transcurren hasta que llega la fecha señalada (deberá ser viernes, sábado o domingo). Será por la tarde, en torno a las cinco y en casa de la novia, donde tendrá lugar el acto de petición. Surge entonces la figura del abuelo: «Padre, que van a pedir a tu nieta». De ambas partes estarán presentes los abuelos como símbolo de respeto y sabiduría, y serán ellos quienes acuerden los pormenores del noviazgo. En caso de no poder estar representados por el abuelo, lo sustituirá algún tío mayor o persona respetable. Todos tratan de llevar las mejores prendas. Los hombres portan camisa de seda y lucen una garrota «de alegría» (que no es la de defensa). Muchas veces ha sido confeccionada por ellos mismos. También llevan instrumentos musicales. Una guitarra española jamás falta en estos encuentros. El pacto se celebra en ausencia de la novia, que se encuentra en otra habitación acompañada por otra mujer allegada a la familia. El café es el nexo de unión y está presente en la expresión decisiva que emite el padre de la novia con gesto sobrio y con mucha alegría interior: «Niño, tienes el sí de mi hija». La joven hace su aparición en la sala y ha de corroborar el asentimiento de su padre. Éste puede ser un momento oportuno para que los patriarcas se intercambien regalos.

Al día siguiente, la novia suele recibir algún detalle de parte de su futuro suegro, pues a partir de ese momento pasa a ser una hija más.

Ya todos enterados del nuevo noviazgo, propician con

mucho arte los encuentros entre los novios, cuidando a su vez que se mantenga la regla general de que toda novia debe llegar virgen al matrimonio.

Ya consolidada la relación públicamente, se invita al chico a que se acerque a la casa de sus futuros suegros y vaya echando una mano en las tareas habituales del grupo. Esto permite que los novios se puedan ver a menudo, pero bajo estricta vigilancia. Incluso ambos visitarán a sus familiares haciendo las oportunas presentaciones. A los pocos días, amigos y familiares van contribuyendo con el acopio del ajuar. La suegra aporta lo suyo para la vida en común de la futura pareja. Al ajuar en algunas zonas le llaman «manzana» (por ejemplo, en Extremadura).

Cuando se va acercando la fecha de la boda, las invitaciones se hacen verbalmente (no suelen usarse las impresas). Esto ya es responsabilidad de los novios y los familiares, que van convocando a los invitados para una fecha próxima. El desembolso económico es compartido por las dos familias, aunque simbólicamente le corresponda la iniciativa al novio.

La boda

Los padrinos suelen ser los mismos del bautizo, aunque muchas veces son los tíos, casi nunca los padres. El traje de novia está compuesto por dos vestidos. Uno de color rosa que va debajo (símbolo de feminidad) y otro blanco, símbolo de pureza, que va por encima y es el que realmente se ve. No puede ser prestado. Siempre es nuevo y generalmente lo ha comprado la suegra. El novio lleva un traje convencional o típico. En la ceremonia suelen estar acompañados por damas y pajes con indumentaria apropiada para la ocasión.

El día de la boda es una jornada que se vive con mucha alegría por toda la comunidad. Pocos son los que no se enteran. El acto civil no existe como lo concebimos tradicionalmente. Y la ceremonia religiosa es cristiana. El templo es arreglado con motivos florales, como adoración a Jesús y al Espíritu Santo (a la Cruz).

Los novios llevarán alianzas de oro (o de plata) en el anular derecho o izquierdo (según la tradición del lugar). Los regalos que reciben son los convencionales.

La ceremonia se envuelve en himnos o cánticos espirituales acompañados de guitarras y otros instrumentos. Siempre son cantados en grupo, evitando hacerlo de forma individual. Así gozan de un coro que será coordinado por un director.

A las cinco de la tarde está todo preparado para comenzar. Se prevén unos 45 minutos para la celebración y varios días para el festejo.

Ya en el templo, con una muchedumbre que la desborda, se procede a consumar el lazo matrimonial. El pastor generalmente invita al «Anciano de la Iglesia» a que presente en voz alta lo que se va a realizar. «¡Nuestro hermano... (nombre del anciano), que presente lo que se va a celebrar!» Éste, con las manos en alto, expresa una mezcla de oración y petición en beneficio de los novios. La asamblea va afirmando las peticiones espontáneamente (agregando a su manera lo que dicta el corazón en ese momento).

Las expresiones que se suceden son de este estilo: «Claro que sí». «Que todo vaya bien», etc. Finaliza con «En el nombre del Padre, del Hijo y del Espíritu Santo», que se cierra con un concluyente: «Amén» de todos los presentes.

A continuación –y muy similar al rito matrimonial católico, donde se promete fidelidad, amor, ayuda, etc.– llega el momento que todos esperan: «YO OS DECLARO MARIDO Y MUJER». La multitud rompe el silencio cantando efusivamente. El júbilo colectivo se impregna de buenos deseos y la algarabía pone final a la ceremonia.

Banquete

Después del enlace todos se trasladan al salón –probablemente alquilado– para la celebración del mismo, donde, además, se habilita un reservado para la ubicación del lecho en el que se llevará a cabo el «rito de la castidad».

Aquí entra la figura de la «ajuntadora», que, oficiando de «notario» se encarga de «casarla físicamente»; el hecho consistente en forzar ligeramente el himen con un pañuelo para recoger una muestra de la «virginidad». Este pañuelo, encargado de contener el fluido vaginal (apenas unas gotas que no alteran para nada el momento de la desfloración), es cuidadosamente elegido. De tela muy suave (batista), lleva fina puntilla y detalles en los extremos. Se conserva toda la vida después de haber sido mostrado a toda la comunidad. Éste es un símbolo determinante de que la novia ha respetado a su padre y se ha respetado a sí misma. Inmediatamente, se inicia un cántico (alboleares) que todos los de afuera esperan. Se escucha: «En un verde prado, sacaron tres rosas como tres luceros. Levantadla, levantadla... ¡hacia arriba!, ¡que se le vean las enaguas blancas!»

Al son de la música, su padre gozoso y con orgullo la eleva, y ella, que porta una corona de flores –estilo imperial– entre sus manos, la posa un momento sobre la cabeza de éste. Todos los asistentes le lanzan almendras glaseadas de colores (peladillas) mientras los niños las recogen para comerlas. Otros hombres considerados «de respeto» también la alzan siguiendo el mismo juego, excepto su flamante marido, a quien, por su parte, le elevan sus familiares y le recitan: «X», pórtate bien, que hasta bonitos lleva los pies».

En un impulso de alegría, le quitan la camisa y se la rasgan a tiras (tenga el valor que tenga). Acto seguido, todos los demás varones hacen lo mismo sin importarles su poco uso. Las tiras de la camisa del novio, que pervivirán como recuerdo de este día, son repartidas entre los invitados a cambio de una cantidad simbólica para la luna de miel.

El banquete continúa y no puede faltar la comida. La tónica es la abundancia. Tras el ágape se ofrece tabaco a los hombres.

Es el momento del baile y con él surge la simpática figura del «bastonero» (patriarca que va señalando con la «garrota» a mozos y mozas para que se animen y se emparejen en la danza. Inteligentemente, va ganando terreno para la próxima boda). Asimismo, la liga de la novia, que ha quedado en poder de una joven, señala la próxima boda que hay que preparar.

Pero la boda, si bien ya había empezado el día anterior con la despedida de solteros (las mujeres por un lado, con sus pastelitos y licores de poca graduación, sin olvidar que es el día por excelencia de las compras –ropas, peladillas...–, y los hombres con sus guitarras, cantos y licores más fuertes, probablemente sin permitirse el sueño), continúa al día siguiente con cantos y música en vivo. La juerga sigue hasta que los suegros determinan el final de la misma. Suele ser el padre del novio el que dice a su consuegro: «¿Qué le parece si me llevo a la niña?», frase simbólica que luego pone en práctica el novio, ya marido, una vez que su padre le da la orden. Tras saber cuánto dinero ha recaudado, le aconseja dónde puede ir y cuánto puede gastar. No deja un instante su función protectora.

El destino de la nueva pareja será la casa de los padres del novio o su propia casa.

X

Boda judía

El pueblo judío ha mantenido siempre sus costumbres y tradiciones con cauteloso afán. La mayoría de sus integrantes guarda con amorosa dedicación las raíces más antiguas de su pueblo disperso.

A la hora de formar y formalizar pareja se dan algunos usos particulares, aunque mucho se ha perdido en la noche de los tiempos. Algunas bodas han quedado simplificadas en duración y ritos, aunque el valor de la ceremonia sea el mismo. Las adaptaciones en los diferentes países ha generado un amplio abanico de variantes.

Antes de la boda

Basta con que las miradas aseguren que la elección ya se ha producido para que –como en cualquier pareja– se pretenda estar el uno al lado del otro, toda la vida.

La petición de mano se traduce en el reconocimiento de la elección del novio o novia por el mismo colectivo, sin que los padres decidan por ellos. La sólida tradición es la que lleva a estas preferencias. El festejo por la proximidad de la boda es motivo para una engalanada fiesta: la noche «berberisca», en donde no falta la música, la exquisita gastronomía judía y los trajes con pedrería y accesorios de oro. Es la mejor despedida que se le puede hacer a los que van a entrar en la nueva etapa matrimonial.

La boda

Alrededor de ella el pueblo judío pone todas sus esperanzas. No se trata solamente de querer la felicidad de los contrayentes, sino la posibilidad de extender el colectivo con la seguridad de que lo harán en el marco más auténtico de sus tradiciones.

El día de la boda se elige por la pareja, pero en general se evita el sábado (*sabbath*), entendiendo este día desde que cae el sol el viernes hasta el atardecer del día siguiente. Tampoco deben coincidir las bodas con fiestas religiosas hebreas.

El día de la boda todos se preparan para llegar al lugar elegido, que será la casa de los novios u otro lugar que hayan preparado. Allí está esperando la *jupá,* un palio que lleva techo y representa la Tierra Santa, lugar donde se centra la ceremonia.

Aquí hay cuatro figuras que adquieren especial relevancia además del público: los novios, el rabino, los padres de los novios y los testigos.

La duración del acto es de aproximadamente unos treinta

minutos, un tiempo dedicado a recorrer hacia atrás y hacia adelante parte de la antigua tradición hebrea.

Con las mejores galas se cumple con el protocolo de bodas que conlleva los siguientes pasos:

1.- Se toca la música cuando el novio se dirige a la *jupá* o palio.
2.- El novio es el primero en entrar e inicia la marcha con el pie derecho, siendo acompañado por dos personas. Sus padres le acompañan siempre y todos esperan la entrada de la novia –con sus padres– bajo la *jupá*.
3.- La novia entra acompañada de sus padres y se dirige hacia el novio. Al llegar se coloca a la derecha de éste, permaneciendo en ese lugar y bajo la *jupá* también con sus padres.
4.- Los novios permanecerán durante toda la ceremonia de pie, y por respeto a ellos los invitados deben hacer lo propio, al menos durante las *berajot* o bendiciones.
5.- Es el oficiante quien bendice el vino *(irusim dos berajot)*, y normalmente primero lo prueba el novio y después se lo ofrece a la novia.
6.- Los testigos son llamados para verificar la nobleza del material de los anillos.
7.- El novio dice la recitación o *Hare at Mekudesht* y coloca el anillo en el índice de la mano derecha de la novia. Luego ella lo cambiará de dedo si lo desea. Dos testigos presencian este hecho o entrega.
8.- Música.
9.- El rabino da lectura a la *Ketubá* o contrato de matrimonio y el acta matrimonial.
10.- Se procede a firmar dicha acta.

11.- El rabino emite el correspondiente discurso.
12.- Luego tienen lugar las *Sheva berajot* o siete bendiciones.
13.- Y, por último, la rotura del vaso de cristal y pronunciación de la frase «Si te olvidare, Jerusalén, mi diestra me olvide».

En las historias que cuentan los judíos a sus hijos, se recuerdan algunas transcurridas en países árabes (como Marruecos), donde el matrimonio siempre se celebra en miércoles. La antesala festiva de la boda comienza el jueves anterior en lo que se llama «Puerta de la Boda». El primer síntoma de que habrá boda o casamiento es la reunión de la familia de los contrayentes con sus amigos en sus respectivas casas, ofreciéndoles dulces y licores. Las palabras de felicidad y boda señalan el período que comienza para la pareja, y esto queda reflejado en diferentes muestras de arte.

El sábado, como es conocido, adquiere una importancia especial en la vida de los judíos como día de reflexión. El novio, después de haber rezado en la sinagoga a la que pertenece el suegro, se reúne con parientes y amigos en la casa de la novia. Allí se come el plato nacional: la «adafina».

Al caer el sol, se celebra un té con asistencia de los rabinos, donde se cantan las canciones populares del pueblo judío.

El domingo es el día del contrato del matrimonio, que se escribe en hebreo y donde consta la fecha (ajustada al calendario judío), los nombres de los novios y los compromisos que adquieren (según la Ley de Moisés e Israel) de respetarse, cuidarse y mantenerse. Se especifica el tipo de dote y ajuar que se aporta al nuevo hogar. Se jura sobre el santo nombre de Dios. El contrato se firma por los contrayentes y el notario, aunque es el gran rabino quien lo legaliza. Después de leído el contrato, se recibe el ajuar que ha aportado la novia, porque ella se encarga de amueblar la casa. El lunes a la noche es el día del lavado. La novia, frente a otras mujeres, se somete al «baño ritual».

En la noche del martes, la novia –vestida según sus tradiciones o a la europea– va a la casa de su novio acompañada de un lujoso cortejo, a la luz de unas lámparas encendidas. Un coro ameniza la comitiva, que se encarga de sujetarle las manos a la novia, la cual camina con los ojos cerrados por la calle para que sea el futuro esposo el primer hombre que vea. Al llegar la futura suegra, le da azúcar y agua, símbolo de dulzura y pureza para la nueva etapa.

Él la traslada hasta una habitación donde está situado el lecho. Allí dormirá la novia esa noche acompañada de su suegra o de una mujer de confianza.

El miércoles es el día señalado para la boda.

El novio acude a la oración de la mañana a la sinagoga acompañado por familiares y amigos. Al volver encontrará a la novia sentada en el trono o tálamo (el lecho que habían adornado la noche anterior), acompañada de dos damas y luciendo ramos de azahar. Cuando llega el rabino, le entregan una copa de plata con vino para que este licor se derrame mientras bendice (siete son las bendiciones).

Éste lee el contrato de matrimonio en presencia del público, testigos de la ceremonia. Al terminar, todos lanzan un grito de alegría: *Barguala*. El novio levanta el anillo nupcial (de oro) y consulta si es el que la Ley exige. Los expertos corroboran el material y el contrayente se lo coloca a la novia, diciéndole que, por la «Ley de Moisés y de Israel», a partir de ese momento le pertenece.

Terminadas las bendiciones se procede al rito del «vaso

roto». El ayudante del rabino toma una copa de cristal llena de vino y la arroja al suelo en memoria del Templo de David. Se recuerda con esto que la vida está llena de alegrías y tristezas.

Esa noche descansan unidos marido y mujer, aunque luego, por razones de higiene, no vuelvan a tener relaciones hasta pasados ocho días. Durante los días siguientes a la boda se prepara la recepción del octavo día, cuando los nuevos esposos reciben en su hogar y habitación a los familiares y comparten así las delicias y el gozo de su felicidad.

XI

Bodas musulmanas

El mundo islámico, lleno de encanto y misterio ancestral, es muy variopinto a la hora de expresar sus ritos, ya que cada país muestra características diferentes. Incluso la formación de la pareja suele tener distintos diagramas. Los lazos entre sus integrantes adoptan roles que no estaban previstos en la religión judeocristiana. También es cierto que hay mucho de leyenda de *Las mil y una noches,* conspirando contra la verdadera comprensión de este colectivo.

En los países árabes, especialmente Marruecos, del que tenemos tantos representantes en España, recuerdan –y los más tradicionales aún lo practican– algunos usos y costumbres muy particulares para la ceremonia de bodas. En primer lugar, las madres cumplían un papel fundamental al escoger la novia para su hijo. Hoy ya son menos las que se ponen en el lugar del que es único interesado. Eso sí, las negociaciones previas al contrato matrimonial siguen siendo responsabilidad de los padres. Durante el noviazgo el chico envía a su prometida regalos los días de fiesta, como telas, vestidos y perfumes. Como en casi todas las sociedades milenarias se cuenta con la dote. En este caso se gasta en el ajuar de la novia y en comprar muebles para el nuevo hogar. Cinco días antes de la boda, los colchones, las mantas y los otros enseres se transportan a la habitación nupcial.

La novia, en las últimas horas antes de la boda, recibe un baño con gran ceremonial, colocándose expresamente detrás de una cortina que simboliza la transición entre su actual situación y la nueva vida. Este baño no se vuelve a repetir hasta siete días después de casada.

La noche antes a la boda se lleva a la joven a la alcoba nupcial para que otras mujeres experimentadas y en medio de cánticos le expliquen todos los detalles de los esponsales. La ceremonia por la cual la mujer lo deja todo para una nueva vida según la ley coránica suele llevar gran fausto. Tiene una duración de siete días y la comida típica se sirve en abundancia. Especial atención merece el pan, que es un símbolo religioso y se debe comer lo justo y no dejar ni un trozo arbitrariamente.

El ambiente mágico y único que sostiene a muchas de estas realidades no se puede repetir en Europa, por lo que participar de una ceremonia fuera de su entorno es desdibujarla. Ya no se aprecia su color, su sabor ni sus aromas exóticos. La suntuosidad se reduce y el encanto queda menos arropado por tener otro contexto. Evidentemente, esto no es impedimento para que igualmente se produzcan los encuentros entre las personas, se gusten y se enamoren locamente. Se pierde el ritual de la petición de mano y las exigencias tradicionales sobre formación de la pareja se hacen más elásticas. Nadie está pendiente como lo fue en su momento de corroborar la virginidad de la novia. Aquello de que en la primera noche de casados había una esclava negra en la puerta de la alcoba para comprobar el triunfo del amor y poder pregonar su doncellez, hoy no es así. No hay ni chirimías, ni tambores, ni cánticos de júbilo que las avalen. Actualmente, en un mundo más occidentalizado, las relaciones en una pareja se llevan en la más estricta intimidad, incluso evitando todo lo que implica de espectáculo una alianza amorosa.

Con mayor naturalidad, la petición de mano se hace a través de la visita del novio a la familia de la novia.

A la hora de la boda, el centro de atención es la mezquita y su imán (el que preside la oración canónica musulmana), aunque la boda se puede efectuar también en el hogar. Se puede hacer pública o privada. Se personan los contrayentes, el juez notario, dos testigos y familiares. Se exigen cuatro requisitos:

- consentimiento de ambos;
- presencia del padre de la novia o su consentimiento escrito;
- dos testigos;
- dote del marido. Firmas del contrato.

En el contrato se ensalza el nombre de Dios según el rito del Islam y se lee el primer capítulo del Corán.

En cuanto a la vestimenta, predomina el color blanco en la novia y en el novio. Las alianzas se suelen llevar, pero no las exige la ley islámica. También pueden ser collares o pulseras. En cuanto a la mezquita, suele estar adornada con mucha austeridad. Al finalizar siempre se espera un banquete, que se puede contratar como cualquier otro de los que se ofrecen en las bodas católicas. Pero los más nostálgicos prefieren una fiesta entre familiares o amigos que sean del mismo país o de la misma región. Allí nadie se priva de probar un buen *mechui* (cordero asado entero a las brasas); el conocido «cuscús»; las brochetas conocidas como pinchos morunos o *kepta,* o el plato conocido como *bastela* (pichones rellenos asados sobre finas capas de hojaldre al que se le agregan azafrán, almendras y azúcar). Claro que todos se quedan a los postres o piden *Kab el Ghzal* (cuerno de gacela), que es un cruasán relleno de almendras molidas. Todo lo demás queda a cargo de la imaginación del lector.

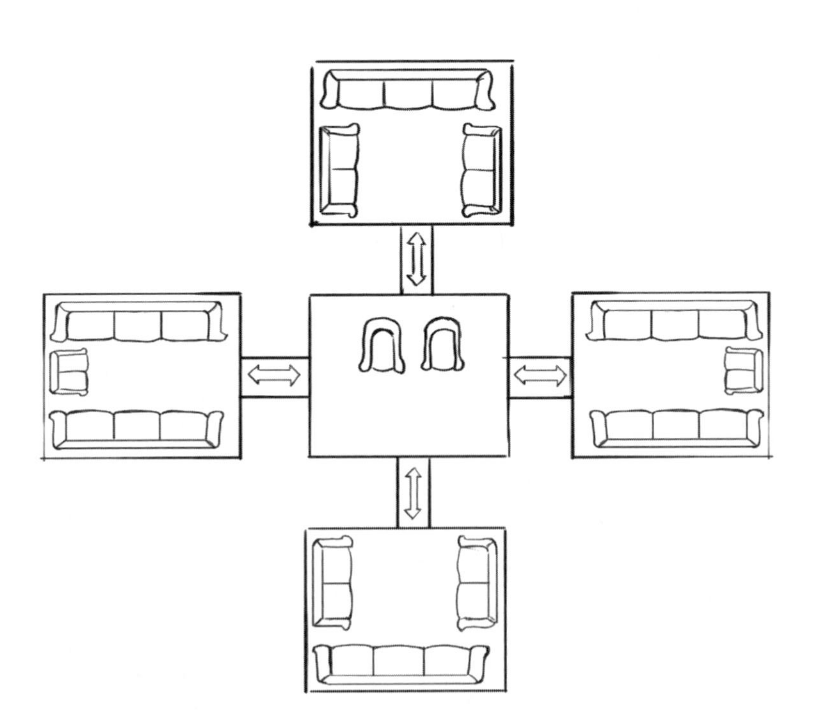

XII

Bodas campesinas

Muchos pueblos han tenido características muy marcadas y de ahí qur sus bodas se hayan escapado de las generalidades. Han sido pequeños núcleos que por razones geográficas, etnológicas o económicas han vivido más unidos y más separados a la vez del resto del colectivo geográfico al que se les suele circunscribir. Han creado una sólida mecánica de costumbres y tradiciones y han ocupado un espacio territorial formando una especie de «reserva» grupal. Siguen atesorando usos, ritos, leyendas, compromisos con sus raíces y hasta una gastronomía que les señala como grupo.

Quizás los pueblos que se han visto obligados a poseer menos pertenencias materiales para su existencia –ya sea por trashumancia o aislamiento– se han enriquecido en lo espiritual, en las tradiciones y en los lazos que les unen.

Esto se refleja en sus celebraciones. Las bodas campesinas llevan el encanto de lo genuino, pues son celebraciones tan festivas que rompen con la cotidianidad más rutinaria. Son explosiones lúdicas y gozosas de todo el pueblo para indicar los nuevos pasos y responsabilidades que debe renovar el colectivo. En ellas se suele marcar con insistencia la vida ordinaria del trabajo y la preocupación por la descendencia.

Vamos a participar de la ceremonia de la boda de algunos pueblos: la boda *«maragata»* (León), la boda *«vaqueira»* (Asturias), la boda *de Ripoll* (Gerona), la boda *«lagartera-na»* (Toledo) como una muestra de tradiciones que no las empaña el tiempo, sino al contrario, las aviva y las pregona. Esto le ha quitado el carácter endogámico y las ha hecho más populares.

Boda vaqueira

El ámbito rural ha motivado la formación de innumerables grupos humanos con sus correspondientes diferencias según su localización geográfica, sus necesidades de abastecimiento y su raigambre social. Los vaqueiros de Alzada, por ejemplo, representan un fenómeno sociológico peculiar y complejo en el marco de una serie de concejos del oeste asturiano, que forma una extensa franja entre la costa y las montañas astur-leonesas, entre las que se encuentran Valdés y Tineo. ¿Cómo y por qué se establecen allí? Los detalles de su genealogía y la necesidad de tener que «alzar» periódicamente su vivienda se pierde y diversifica en la noche de los tiempos. En lo que coinciden todos es que existía una trashumancia ganadera de largo recorrido entre zonas bajas y zonas altas, lo que trajo como consecuencia los cambios de casa, un fortalecimiento de los lazos vinculantes entre sus integrantes y una simplificación del acopio de sus enseres domésticos por razones obvias.

Uno de los pilares de la identidad y uno de los más significativos de su modo de vida nómada es la trashumancia biestacional, originando residencias que se denominan «brañas»: braña de arriba, la de verano, y braña de abajo, la de invierno. El vaqueiro ha subsistido por el pastoreo.

Debido a la perpetuación de sus costumbres y cultura tradicional nacieron las diferencias y enfrentamientos con los aldeanos sedentarios, por la competencia en el uso de los espacios comunes y los roces con las autoridades civiles y religiosas, que por su doble residencia imposibilitaba el control fiscal y eclesiástico. Esto traía como consecuencia que se liberaran de levas y milicias y del pago de los diezmos a la Iglesia. Molestaban porque resultaban escurridizos. Todo ello, junto con el medio físico, motiva el aislamiento de las brañas y sus moradores respecto a las vecinas aldeas y la formación del colectivo «vaqueiros de alzada» como grupo étnico diferenciado que aún perdura.

Durante siglos los vaqueiros se perpetuaron biológicamente, un rasgo peculiar de los grupos étnicos, es decir, practicaron una estricta endogamia grupal, a la vez que se observa una especie de exogamia intergrupal. Esta endogamia estrecha el vínculo entre sus miembros, al tiempo que los margina como grupo. Todo esto lleva a que se creen unas pautas de conducta sociales y culturales propias, que en los acontecimientos importantes de la vida del vaqueiro, como el matrimonio, se manifestaban en la participación de todo el colectivo social en una gran muestra de solidaridad grupal.

Poco a poco, la sociedad rural asturiana comienza a

transformarse profundamente y el grupo vaqueiro va perdiendo su identidad étnica y su cultura propia. Esto fue haciendo desaparecer el desprecio y odio de sus vecinos, y poco a poco no se los separó en las iglesias por medio de una viga ni se les marginó en los cementerios, y fue haciéndose habitual el casamiento entre vaqueiros y *xaldos* o *marnuetos* (pueblos vecinos sedentarios), realidad impensable anteriormente. Para alimentar la memoria de este particular grupo rural asturiano desde la década de los sesenta, todos los años el último domingo de julio los ayuntamientos de Valdés y Tineo organizan el Festival Vaqueiro para recuperar las tradiciones de este pueblo. El acto más destacado es la celebración de una BODA VAQUEIRA.

Antes de la boda, como es natural, surge «el amor» entre un hombre y una mujer. Para sociedades arcaicas, esto no era suficiente para llegar a la boda. Existía una serie de pasos y un protocolo o ritual a seguir.

Muchos años atrás, las bodas eran precedidas por los «conciertos» entre los padres de los enamorados, en los cuales se acordaban temas como la dote que cada novio aportaría al matrimonio. Generalmente, era el padre del novio el que se trasladaba a la casa de la joven para «concertar». A veces intervenía en este concierto un curioso personaje, el «embustero», enviado por los padres del novio para arreglar el casamiento. Se hacía hincapié en lo que aportaba cada uno: animales o elementos para el trabajo. Una vez «negociado» el rumbo de la nueva pareja, el novio solía llevarle un regalo a su prometida. Eso sí, si por cualquier circunstancia no se llegaba a celebrar, éste se lo reclamaba. Hay cantares que lo registran:

Yo te regaléi un queisu,
en siñal de matrimoniu;
el matrimoniu foi nulu,
vuélveme' si queisu al horru.

Para anunciar el próximo enlace, la novia, acompañada de la futura madrina, iba a la casa de sus amigas y les dejaba un trozo de pan de trigo llamado «cantiecho»; una forma original de invitarlas a la boda. También se usó esta costumbre al terminar la ceremonia, en pleno banquete.

Los novios y familiares preparaban su mejor indumentaria para la ocasión, siempre en un estilo campesino. La novia no podía olvidar, –además de la camisa, chaqueta y falda–, el manteo, los zapatos, el pañuelo blanco y el mandil.

El día de la boda provoca una gran alegría y jolgorio entre todos los vaqueiros.

La novia con el padrino y el novio con la madrina llegan desde sus casas en caballos o mulares al lugar donde se celebrará la boda (al aire libre).

Este recorrido es muy genuino y emotivo porque, además de los invitados, va precedido y acompañado por el ajuar, llevado en un «carro del país» tirado por dos bueyes. Llevan en él un arca o baúl con impecable ropa blanca, y a su alrededor algunos sacos de trigo y los enseres que componen el ajuar. Encima de todo va la cama matrimonial, en la que destacan los encajes de las sábanas, de las almohadas y los primores de la colcha. Por último, la «cesta de la madrina», adornada con lazos y llena de pan, huevos, manteca y dulces.

El acompañamiento musical está formado por un grupo importante de gaiteros y personas que tocan castañuelas, panderos y la «payetsa», una sartén con un mango muy largo que se bate con una llave de hierro. No falta quien recuerde alguna vieja canción vaqueira y la comparta con el animado público.

La ceremonia religiosa se realiza como las tradicionales: una misa en que quedan casados los enamorados y felices también sus familiares.

Después de celebrada la boda tiene lugar la típica comida vaqueira en uno de los prados y los invitados se sientan sobre la hierba a saborear jamón cocido, chosco, empanada o «bollo preñao», frixuelos, nata montada de las brañas y café negro de puchero.

Después de comer se suceden uno tras otro los bailes típicos y las «coplas de careo», unas graciosas coplas que se dirigen entre los invitados en tono de sana provocación y ágil respuesta. Los motivos siempre giran alrededor del amor y el casamiento. Más de una vez esto es el inicio real de una nueva relación afectiva.

Boda maragata

En León, los «maragatos» conservan con verdadero entusiasmo el momento más feliz para una pareja: el tiempo de la boda. Los relatos orales de Astorga llevan tal precisión que es imposible quedarse fuera de estas celebraciones. Para situarnos, pensemos en la exaltación de la naturaleza que suelen tener estos pueblos campesinos, donde el tiempo de la cosecha es similar al tiempo de consolidar el amor. Parecerían impensables si no se usaran elementos y símbolos agrícolas en las referencias matrimoniales.

Estas bodas se llevaban a cabo en cincuenta pueblos maragatos de la provincia de León. Hoy sólo la conservan unos pocos, ya que lleva una preparación larga y costosa. Se celebran en ocasiones especiales.

Su vestimenta es ricamente trabajada aunque siempre de acuerdo con el contexto rural, festivo. Los trajes de gala, tanto de los hombres como de las mujeres, se transmiten de padres y madres a hijos e hijas en una tradición que nadie se atreve a romper.

La pertenencia al colectivo es tal que se pronuncian siempre las mismas palabras y pasan por todos y cada uno de los detalles que requiere el ceremonial.

El primer paso es dar a conocer la nueva relación que ha surgido entre dos jóvenes. Ésta se hace a través de una cena con platos típicos donde se da a conocer la «buena nueva». A partir de este momento quedan todos comprometidos a contribuir con el ajuar de matrimonio.

Ya en la proximidad de la fecha fijada para la boda se leen dos proclamas, una en el pueblo de la novia y otra en el pueblo del novio. En la víspera se echa el «rastro», que consiste en tirar por el suelo un rastro de paja menuda de casa del novio a la casa de la novia y de allí a la iglesia. Si alguno de los desposados es de fuera, se echa el «rastro» desde la casa del que vive allí hasta la salida del pueblo por donde vendrá el novio (o la novia). También la víspera de la celebración se echa la «ronda»: las mozas y mozos recorren las calles tocando las castañuelas al son del tamboril (instrumento que se toca en todas las fiestas y bodas), y en compañía de la flauta maragata (de tres agujeros).

En la mañana del día de la boda se reúnen en la casa del novio los padrinos. Acto seguido, el prometido con todos sus acompañantes (mozas y mozos) se dirige a casa de la novia a recogerla. Ella está en su hogar con la puerta cerrada. Cuando llega toda la comitiva, el padre del novio se acerca a la puerta de la casa y dando tres golpes dice (con palabras serias y claras): «Venimos a cumplir la palabra empeñada». En ese momento la madre de la novia abre la puerta y dice: «Cúmplase, enhorabuena». Mozas y mozos le cantan a la novia:

Arrodíllate, niña hermosa,
en este paño florido
que el que te echa la bendición
es tu padre querido.

Ella se arrodilla en una pequeña alfombra. El padre le pone al cuello las arracadas o crucifijo y le echa la bendición diciendo:

La bendición ya la tienes,
sal cuando quieras.

Ella se decide a salir mientras los jóvenes cantan:

Despídete, niña hermosa, de la casa de tus padres,
que es la última vez que de ella, soltera, sales.
Al volver una esquina, al cruzar un arroyuelo,
esta niña, ya no es nuestra, nos la lleva un caballero.

Esto lo repiten hasta que llegan a la iglesia.

La comitiva que lleva la novia está integrada por muchas amigas que portan un vellón de lana, un ramo de flores, abanicos, pastas y enseres varios. Pero será después de casada cuando se lo entreguen. Ella va esplendorosa con traje de maragata. Lleva pendientes de oro o plata, del tamaño de una moneda pero con forma de paloma en la que va inscrustada una esmeralda. También lleva collar de tres vueltas con rica pedrería. Las novias más ricas llevan el «Cristo preñado».

El sacerdote sale. Les lee los ritos del casamiento y se pasa a la iglesia para celebrar el enlace a la usanza de la Iglesia católica. Los cánticos son constantes. Ya fuera de la iglesia se dirigen todos hacia la plaza del pueblo, donde se han colocado cuatro sillas adornadas con flores y ramas verdes. Allí se sientan novios y padrinos. Se le entrega un ramo de flores a la novia mientras se le dice:

Toma, niña, el ramo
cargado de rosas.
Te lo han regalado
todas las mozas.
Toma el ramo
cargado de rosas
que tus compañeras
no te han olvidado.

A la vez, un mozo le entrega un gran vellón con cuya lana harán el colchón los novios. Se hacía al día siguiente entre todos los amigos en lo que se ha llamado la «tornaboda». Hoy es sólo simbólico.

A continuación le tiran granos de trigo para bendecirlos mientras le dicen:

Que este matrimonio
sea tan fecundo en hijos
como fue la tierra,
que crió estos trigos.

Banquete

Las amigas de la novia, que llevan un roscón (dulce), se lo dan a la novia, luego al novio y a los padrinos, que siguen sentados en su silla. El resto lo reparten entre los invitados. Hay también hogazas de pan de trigo que se cortan en trozos, y en cestos de mimbre y con finas servilletas blancas se ofrecen a todos.

Luego, lo tradicional indica que se presente el bollo de pan dulce con figura de maragato. El padrino lo coloca sobre una silla: le pone pinchado en la cabeza un cigarro (un puro) y un billete (de 1.000 o 2.000 ptas). Se procede a «comer el bollo». Se hace una raya en el suelo. Dos mozos solteros ponen el pie sobre la marca y a la voz de «una, dos, tres», salen corriendo hacia el padrino que tiene el bollo a unos 80 o 100 metros. En el suelo hay otra raya. El primero que llegue gana. Corren de dos en dos y se van eliminando hasta quedar uno solo, que recibe el puro, el billete y la mitad de la cabeza del maragato. La otra mitad de la cabeza del muñeco se la entrega al último que se haya casado en el pueblo. El resto se trocea y se reparte entre los mozos.

También se hace una rosca de pan dulce, y una moza, llamada «canastillera», da una vuelta bailando alrededor de la plaza con ella debajo del brazo. A la segunda vuelta, sale un mozo y dan otra vuelta los dos. Se van metiendo más jóvenes para bailar en corro con el joven. Sigue el baile hasta integrar a todos los invitados.

Una vez finalizado el baile todos parten hacia la casa de la novia donde está esperando la madre. Allí le cantan:

Poner, madre, mesa
con manteles de Holanda

que viene su hija,
ya viene casada.

Una comida tradicional les espera.

Al día siguiente, los familiares e invitados recorren las casas del pueblo con el fin de recaudar lo necesario para una buena cena. (Antes, en la «tornaboda», había que preparar una gallina porque de lo contrario, entraban y cogían la mejor).

Este día se dedica a hacer el traslado del ajuar de la novia a su nueva casa, utilizando para ello carros engalanados.

Antiguamente los novios desayunaban en la sacristía con el capellán. Luego venía el aperitivo de bizcochos bañados con jerez y espolvoreados con canela.

En la comida se sirve el gran cocido maragato, que termina en sopa. Y luego los postres: mazapanes, rosquillas y frutas.

Boda lagarterana

Los pueblos de Toledo han recogido una riquísima tradición de la confluencia de culturas. Pero es Lagartera quien más ha insistido en estar presente en todos los momentos importantes de la vida de sus habitantes con una laboriosa artesanía en tela. Sus bodas recogen la dedicación del amor y arte regional.

Hasta 1940 eran muy habituales; hoy quedan apenas unos vestigios de una celebración que lleva mucho preparativo y mucho encanto. Son cuatro días de quehacer y fiesta en honor de los novios. Se comienza dos días antes con la matanza de los animales para el agasajo. Habrá carne de cordero para todos los invitados en la casa del novio.

El menú del mediodía incluirá un buen cocido guisado

desde la mañana, con sopa de perejil y huevos, postres y pasteles hojaldrados. Por la noche, un preparado con todo lo que ha sobrado, cerrando con tortada.

Pero antes de que el día señalado llegue, hay tareas para realizar en grupo. El novio, acompañado por sus amigos y familia, pasará por la barbería. Todo el grupo sigue atentamente el acicalamiento del que dejará su soltería en unas horas.

Luego se enfrenta al padre y éste le dice:

Hasta ahora has estado
bajo el dominio de tu padre,
y has sido un buen hijo.
Espero que de aquí en adelante
seas un buen esposo
y puedas bendecir a tus hijos.

A continuación, se va a vestir con su atuendo de bodas que consiste en un camisón, que le regaló su novia, y en el cual estuvo tra bajando de tres a cuatro años. Va bordado en delantera y hombreras. A esto se agrega calzoncillo, pantalón, chaqueta, cordones y capa.

La novia, por su parte, se toma su tiempo para echarse encima 20 kilos de ropa engalanada para su boda.

Viste el capotillo (que le ha llevado un año de trabajo) o una gorguera (abierta) con cuello alechugado y finos adornos, un sayuelo y un jubón (prenda negra ceñida) con detalles de plata; a ello se agregan las faldas con cuatro lujosos guardapiés. Se aprecia el de abajo o bajero, otro de paño azulón, otro de lana azul y el exterior de terciopelo negro labrado. Encima va la basquiña (saya negra), ribeteada con cintas de colores vivos y el delantal muy adornado. Lleva medias de colores y zapatos oscuros con adornos metálicos. Suele ponerse espinillo, una capucha de fina gasa amarillenta bordada con encaje negro y galón abigarrado que recoge el cabello en moño. A esto se agregan unas cintas de colores. En cuanto a las joyas de boda, lleva pendientes de herradura y gargantillas. Es conveniente aclarar que no se trata de un traje regional, sino de un traje de bodas que se usa en Lagartera. A lo que hemos descrito se le suma un rosario y el ramo.

El ajuar de la nueva casa no es menos laborioso. Conocido este pueblo por sus excelentes bordados, éstos se ven reflejados en sus juegos de sábanas bordadas en seda. Las colchas trabajadas a mano con hilos de punto, con motivos de animalitos y mil detalles más, complementan el pecunio artesanal que la novia durante años elabora para su casa.

Y cuando los preparativos están bien controlados, todos se disponen a acompañar a los novios al encuentro con el sacerdote. Éste, en breve ceremonia, les dará la bendición mientras les va diciendo:

hermanos, como pueblo elegido de Dios, pueblo sacro llamado, sea vuestro uniforme a la misericordia entrañable, a la bondad...

Procede luego a bendecir la unión.

La concurrencia los acompaña al terminar el casamiento y se disponen a festejar comiendo y bailando. Aquí es típico el «baile de la manzana»: el que quiera bailar con la novia tendrá que dejar dinero sobre una manzana que lleva ella.

Bodas de Ripoll

Gerona guarda secretos entrañables de la Cataluña rural que unos elegidos pudieron disfrutar. De rica tradición se conserva y se recrea la *Festa de la Llana i Casament a Pagès*, la celebración de una boda campesina con todo lo auténtico que esto conlleva.

A finales de mayo, el monasterio de Santa María –obra cumbre del románico– prepara la celebración gerundense. Junto a la puerta conocida como «Biblia escrita en piedra», la muchedumbre quiere vivir como en otros tiempos.

Aparece la novia de blanco con importante velo y delicado ramo de flores. El novio lleva traje negro al que agrega capa negra y sombrero. Las medias son blancas con calzado de época. Suelen llegar a caballo acompañados por una gran comitiva encabezada por gigantes y cabezudos, junto a una orquesta que le va poniendo alma musical al ceremonial. La chica casadera lleva consigo el ajuar, que ha sido realizado con habilidad y amor. El ritual de la boda es similar a todas las ceremonias campesinas que se realizan en un templo católico.

Al terminar, van todos a la plaza y allí los recién desposados reciben los parabienes por el acontecimiento. Se invita a todos a comer coca y longaniza. El festejo está circunscrito a las labores campesinas: la esquila de las ovejas y el hilado posterior.

El trabajo duro y fatigoso que soportan los hombres de este pueblo –que no olvida que la pareja hace más agradable los buenos y malos momentos– se apoya en la gratificación que da un buen plato, hecho con amor, de la típica cocina ripollense: «mongetes seques amb botifarra». Y la atmósfera austera, romántica y ascética que imprime el trabajo de las hilanderas se premia con unos dulces exquisitos de esta tierra: los «moixaines».

XIII

Dichos sobre hechos consumados

Los hechos importantes y repetidos en la vida de la humanidad quedan siempre reflejados en el «verbo popular». Unas veces adoptan la forma de chiste, de máxima, de adivinanza, de refrán o simplemente de una cita. Según sea su autor, tendrá un tinte satírico, reflexivo, didáctico o simplemente de entretenimiento.

Lo cierto es que a veces el contenido no se corresponde con el continente, porque muchos de los que se han pronunciado con respecto al matrimonio no reflejan lo mismo en su vida particular.

COMPARTAMOS EL ACERVO POPULAR:

Refranes con sabiduría

«El éxito en el matrimonio es más que hallar la persona idónea; es ser la persona idónea.»

B. R. BRICKNER

«Se casa mucha gente sin tener ortografía y son felices; es una lección que dan a los bibliófilos.»

GLORIA FUERTES

«El matrimonio es un envase; todo depende de lo que se ponga dentro.»

F. SÁNCHEZ DRAGÓ

«En un buen matrimonio la fidelidad no es una atadura.»

L. RINSER

«Nunca te cases con un hombre que detesta a su madre, porque acabará detestándote a ti.»

J. BENNETT

«Los celos son condenables entre esposos, aceptables entre amantes.»

«El matrimonio es una almendra; por ello no se puede saber si es dulce o amargo antes de haberlo gustado.»

G. WEISSTEIN

«No la belleza, sino la virtud y la comprensión es lo que dará la felicidad en el matrimonio.»

EURÍPIDES

«El matrimonio no puede alcanzar su objetivo principal, que es el perfeccionamiento recíproco de los esposos, si no es exclusivo e indisoluble.»

AUGUSTE COMTE

«El matrimonio es el resultado del amor, como el vinagre del vino.»

LORD BYRON

«El matrimonio debe combatir sin tregua un monstruo que lo devora todo, la costumbre.»

BALZAC

«El que con anillo de oro se promete solamente días dorados, no conoce el curso de las cosas ni el corazón del hombre.»

F. W. GOTTER

«El matrimonio podría ser el lazo más feliz de amor si se estrecharan las manos cuando se ponen de acuerdo los corazones.»

GRAVILLE

«La belleza y la santidad del matrimonio, que nos hacen soportar las penas en común, redoblando nuestras alegrías y llevando la flor a su razón en el más noble desarrollo de la naturaleza humana, estriban en la firme pertenencia recíproca en la conciencia de su duración.»

FANNY LEWALD

«Es un yugo el casamiento que al más bravo hace amansar.»

RUIZ DE ALARCÓN

«Cásate y harás bien; no te cases y harás mejor; pero no olvides que lo mejor es enemigo de lo bueno.»

E. THÉVENIN

«Donde hay un matrimonio sin amor, habrá amor sin matrimonio.»

FRANKLIN

«Antes del matrimonio se considera el amor teóricamente; en el matrimonio se pasa a la práctica. Ahora bien, todos saben que las teorías no siempre concuerdan con la práctica.»

ENRIQUE IBSEN

«¿Queréis saber lo que hace un buen matrimonio? Los sentidos en la juventud, la costumbre en la madurez, la necesidad recíproca en la vejez.»

DUQUE DE LEVIS

«En el matrimonio es preciso contar con cualidades que resistan, que duren, y las grandes pasiones pasan pronto; al paso que una condición apacible en todos los tiempos es buena.»

LARRA

«La unión del matrimonio es perpetua, cuando la voluntad, no el deleite, la estrecha.»

PROVERBIO CASTELLANO

«Para que un matrimonio sea feliz, el acuerdo entre los caracteres es más necesario que el acuerdo entre las inteligencias.»

MANTEGAZZA

«El matrimonio es no sólo una cosa por hacer, sino también por rehacer sin cesar. En ningún momento una pareja puede abandonarse a una perezosa tranquilidad diciéndose: "La partida está ganada: descansemos". La partida jamás está ganada. Los azares de la vida son tales que toda eventualidad hácese posible.»

ANDRÉ MAUROIS

«El matrimonio puede ser un dúo o un duelo.»

ANÓNIMO

«No hay más uniones legítimas que las que están gobernadas por una verdadera pasión.»

STENDHAL

«La vida conyugal es una barca que lleva dos personas por un mar tormentoso; si uno de los dos hace algún movimiento brusco, la barca se hunde.»

TOLSTOI

«La vida es un arte, y la vida matrimonial la más fina y difícil parte de este arte.»

K. J. WEBER

«Las pequeñas peleas, las controversias, son lo que forman la base de un matrimonio feliz.»

P. G. WODEHOUSE

«El matrimonio viene después del amor, como el humo después de la llama.»

CHAMFORT

Refranes con ironía

«Si no fuera por el matrimonio algunos maridos no tendrían nada en común con sus esposas.»

ANÓNIMO

«Sólo se tiene un marido, los demás son postizos.»

MIGUEL ÁNGEL ASTURIAS

«El estado matrimonial recibe el nombre de santo porque cuenta con tantos mártires.»

DIE F. BLATTER

«El divorcio es el sacramento del adulterio.»

J. I. GUICHARD

«El período crítico del matrimonio es la hora del desayuno.»

A. P. HERBERT

«En Oriente, la mujer no suele ver al hombre antes de casarse. En Occidente, después.»

ÁLVARO DE LA IGLESIA

«Seguramente existen muchas razones para los divorcios, pero la principal es y será la boda.»

JERRY LEWIS

«Los matrimonios jóvenes no se imaginan lo que le deben a la televisión. Antiguamente había que conversar con el cónyuge.»

ISIDORO LOI

«¿Por qué se casan todos los caballeros? Porque ir al fútbol siempre también aburre.»

MIGUEL MIHURA

«La monogamia es como estar obligado a comer patatas fritas todos los días de la vida.»

HENRY MILLER

«Un buen matrimonio es como una entrevista que nunca acaba.»

GREGORY PECK

«El matrimonio es una lotería donde los hombres se juegan su libertad y las mujeres su felicidad.»

MME. RIEUX

«Todo el mundo debe casarse; no es lícito sustraerse egoístamente a una calamidad general.»

M. G. SHAPIR

«El matrimonio es como la muerte: pocos llegan a él convenientemente preparados.»

N. TOMMASEO

«La mujer que ama a su marido corrige sus defectos y el marido que ama a su mujer aumenta sus caprichos.»

ANÓNIMO

«El matrimonio es una ciencia que nadie estudia.»

SOFÍA ARNOULL

«El matrimonio une para toda la vida a dos seres que se desconocen totalmente.»

H. DE BALZAC

«El país del matrimonio ofrece este hecho curioso: que los extranjeros sienten deseos de morar allí; y los habitantes naturales querrían ser desterrados.»

DUFRESNY

«Cuando somos jóvenes no ha llegado el tiempo adecuado de casarnos todavía, y cuando somos viejos ha pasado ya.»

DIÓGENES

«Una mujer se casa para entrar en el mundo; un hombre para salir de él.»

BEATRIZ DE LEÓN

«En el matrimonio lo principal no es amarse, sino conocerse.»

PABLO HERVIÉN

«El amor es un arpa eolia que suena por sí sola: el matrimonio es un armonio que suena solamente a fuerza de pedaleo.»

P. MASSON

«El matrimonio puede ser frecuentemente un lago tempestuoso, pero el celibato es siempre un abrevadero lleno de lodo.»

T. L. PLEACOK

«Una boda es medicina que sana a toda mujer.»

TIRSO DE MOLINA

«El segundo matrimonio es un adulterio decente.»

ATENÁGORAS

«El matrimonio es un combate a ultranza antes del cual los esposos piden la bendición de Dios, porque amarse para siempre es la mas temeraria de las empresas.»

BALZAC

«El matrimonio es una comedieta de dos personajes en que cada uno estudia el papel... del otro.»

OCTAVIO FENILLET

«El matrimonio es una orden en la cual se hace la profesión antes del noviciado, y si se diese un año de prueba como en los claustros, habría pocos profesos.»

SAN FRANCISCO DE SALES

«De todos los actos de la vida de un hombre, es su matrimonio el que menos interesa a los demás; no obstante, de todos los actos de nuestra vida aquel en que más mete el prójimo las narices es el matrimonio.»

SELDEN

Adivinanza

En una red de pescar
unos lloran por salir
y otros luchan por entrar.

EL MATRIMONIO